les monnaies
du monde

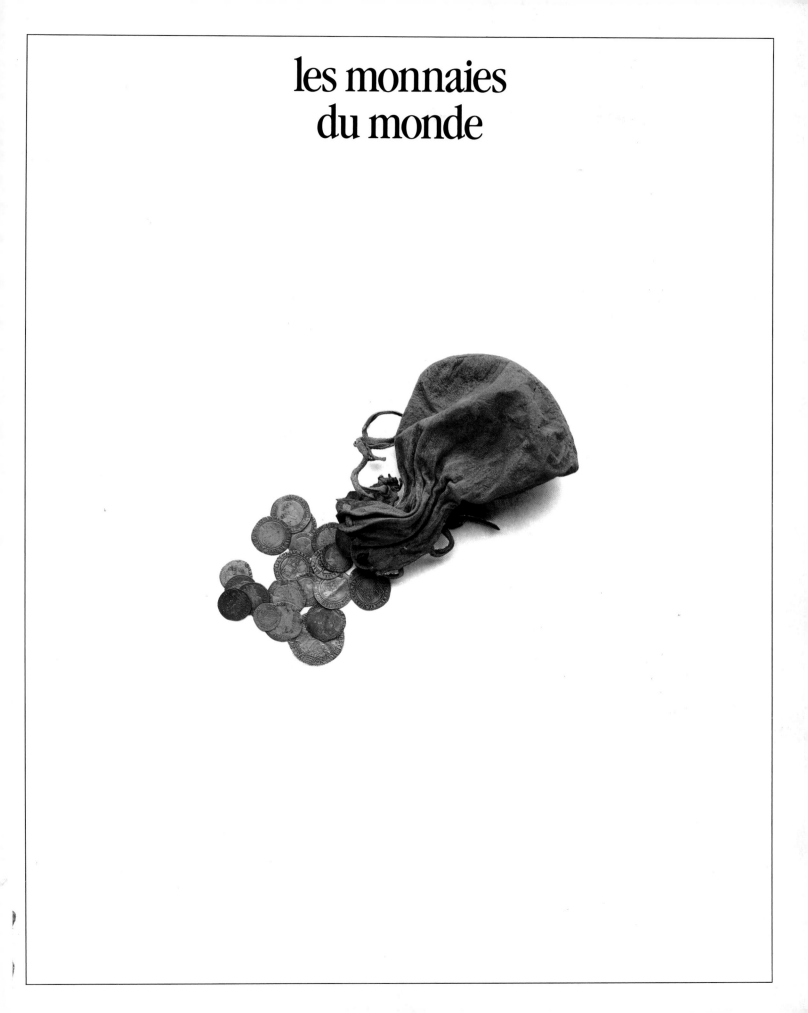

Ancienne pièce
italienne en bronze
de la cité de Hatra,
IIIᵉ siècle av. J.-C.

Monnaie bolivienne
de 8 escudos en or, 1841

«Pagode»
d'or indienne,
XVIIᵉ-XIXᵉ siècles

Pièce australienne de
50 cents en cupronickel, 1970

«Mohur» d'or indien,
XVIIᵉ siècle

Billet de 10 cents émis
en 1942 pour Ceylan
(actuel Sri Lanka)

Anciennes médailles
romaines montrant
des opérations
de frappe monétaire
(ci-dessous) et de
banque (à droite)

Billet colonial français
émis pour Djibouti,
XXᵉ siècle

Ancienne pièce grecque
d'argent représentant
Alexandre le Grand,
IVᵉ siècle av. J.-C.

Pièces marocaines
du XIXᵉ siècle
encore attachées,
à la sortie de
leur moule

«Real de ocho»
(pièce de 8 réaux)
espagnole frappée
au Mexique
en 1732

Pièce d'or
de 10 ducats de
Transylvanie, XVIIᵉ siècle

les monnaies du monde

par
Joe Cribb

en association avec le British Museum
(Natural History Museum), Londres

Photographies originales de Chas Howson,
Département des Pièces et Médailles du British Museum

Rouble soviétique
en cupronickel, 1962

Ancienne monnaie-houe
chinoise en bronze,
VIe siècle av. J.-C.

«Aigle» d'or
américain, 1797

Billet du Siam (actuelle Thaïlande), 1860

Billet de temple
japonais, XIXe siècle

Token anglais
de 1 demi-penny
de bronze, 1665

Penny de bronze
de Zambie, 1966

GALLIMARD

Souverain d'or britannique (1901) et balance de bronze
spécialement prévue pour peser les souverains

Ancienne monnaie
romaine du
IIIe siècle av. J.-C.

Ancienne pièce
indienne en or du
Ier siècle apr. J.-C.

Pièce
australienne
de 2 dollars en
cuivre, 1988

Pièce en or de
l'empire ottoman
appelée «Zeri-
Mahbub»,
XVIIIe siècle

Ancien lingot
d'or romain fabriqué
à partir de pièces d'or fondues, IVe siècle

Argent de la Grèce antique :
monnaie cassée, fragment de
lingot et de fil provenant d'un trésor
de Tarente (Italie)

Ancienne monnaie-couteau
chinoise en bronze, IIIe siècle
av. J.-C.

Comité éditorial
Londres :
Anne-Marie Bulat, Richard Czapnik,
Julia Harris, Linda Martin,
Sophie Mitchell et Sue Unstead
Paris :
Christine Baker, Jacques Marziou
et Elisabeth Robinson
Edition française préparée par
Bruno Collin, docteur en numismatique,
chef de service des Monnaies de collection
à la Monnaie de Paris

Publié sous la direction de
Peter Kindersley,
Jean-Olivier Héron
et
Pierre Marchand

ISBN 2-07-056502-5
La conception de cette collection est le fruit
d'une collaboration entre les Editions Gallimard
et Dorling Kindersley
© Dorling Kindersley Limited, Londres, 1990
© Editions Gallimard, Paris, 1990, pour l'édition française
Dépôt légal février 1990. N° d'édition 47730
Imprimé en Italie par A. Mondadori Editore, Verona

Monnaie-fil
perse
appelée
«Larin»,
XVIe siècle

Un paanga, monnaie de
cupronickel des îles Tonga, 1977

SOMMAIRE

Monnaie-talisman chinoise
en argent, XIXᵉ siècle

Monnaie indienne
de 10 paisa en
cupronickel, 1964

LES MULTIPLES FACETTES DE LA MONNAIE

On ne peut concevoir un monde sans monnaie : chaque pays a la sienne et son usage est attesté par les premiers témoignages écrits de l'activité humaine. Aujourd'hui, pour la plupart des gens, ce sont des pièces, des billets, des cartes de crédit ou de l'argent déposé dans les banques. Mais dans un passé encore récent, certaines populations utilisaient comme moyen de paiement des plumes, des pierres, des perles ou des coquillages. En fait, n'importe quel objet peut servir de monnaie dès l'instant qu'il est reconnu et admis comme moyen de paiement. C'est pourquoi la monnaie enregistrée dans les ordinateurs des banques peut être dépensée au même titre que les pièces et les billets que l'on porte sur soi.

MONNAIE D'AUJOURD'HUI
Bien que de formes, de tailles et de couleurs différentes, les billets, les pièces et les cartes de crédit sont regroupés sous le même nom de monnaie car ils sont tous utilisés pour effectuer des paiements.

LA PREMIÈRE MONNAIE

On ne sait pas précisément quand fut utilisée la première monnaie. La plus ancienne inscription relative à cet usage remonte à 4500 ans environ : elle décrit en écriture cunéiforme des paiements en métal d'argent dont les quantités sont exprimées en poids. Depuis cette date, ce métal a été utilisé en vrac, comme moyen de paiement, dans de nombreuses parties du monde et il est à l'origine des futures pièces de monnaie (pp. 10-11).

Dix

Douze

Laine

Orge

Bronze

MONNAIE DE MÉSOPOTAMIE
Cette inscription recense les prix pratiqués durant le règne de Sin-Kasid d'Uruk (1865-1804 av. J.-C.) : «Avec un shekel d'argent aux normes locales, vous pouvez acheter trois mesures d'orge, [...] dix mines de bronze, ou trois mesures d'huile de sésame, selon les prix en vigueur dans ce royaume.»

LE CODE D'HAMMOURABI
Sur cette borne de pierre est représentée une divinité indiquant à Hammurabi, roi de Babylone (1792-1750 av. J.-C.), les lois qui régissent l'utilisation de l'argent. La loi 204 indique : «Si un homme gifle un autre homme, il doit payer 10 shekels d'argent à titre de compensation.»

CUNÉIFORMES
Le déchiffrement de l'écriture cunéiforme a permis d'identifier de nombreuses inscriptions relatives à des paiements effectués avec de l'argent brut. Les caractères ci-dessus sont utilisés dans l'inscription sur cette tablette.

POIDS À L'OIE
L'argent et les autres biens devant être pesés avec précision, les anciens Mésopotamiens ont fabriqué des poids officiels. Ce spécimen pèse environ 30 shekels. Il y avait 60 shekels dans un mine.

FRESQUE ÉGYPTIENNE
Cette fresque égyptienne (XIVᵉ siècle av. J.-C.), découverte dans une tombe de Thèbes, représente la pesée des anneaux d'or. Les Egyptiens utilisaient des balances et des poids pour estimer la valeur des métaux précieux.

TRÉSOR ÉGYPTIEN
Les anciens Egyptiens établirent également un système permettant d'effectuer des paiements avec du métal en vrac : or, argent et cuivre. La forme et la taille du métal n'avaient aucune importance car seul le poids déterminait sa valeur. Dans ce trésor du XIVᵉ siècle av. J.-C., trouvé à Tell al-Amarna, la monnaie se présentait sous forme de lingots, d'anneaux, de blocs ou de morceaux d'argent.

Bloc d'or

Lourde barre d'argent

POIDS DE PIERRE
L'inscription en hiéroglyphes sur ce petit poids de pierre égyptien indique qu'il était utilisé pour peser l'or. On aperçoit un autre hiéroglyphe de ce type sur une pièce d'or égyptienne (p. 54).

Sous cette forme l'argent pouvait aisément être coupé en plus petits morceaux.

La position de la cordelette indiquait le poids de l'argent placé sur le plateau de la balance.

Baguette d'ivoire étalonnée

DANS LA BALANCE
Bien que les Chinois se servissent de pièces depuis le VIᵉ siècle av. J.-C. (p. 11), ils ne fabriquaient pas de monnaies d'or ou d'argent mais pesaient ces métaux pour effectuer leurs paiements. Malgré l'existence des poids officiels, les commerçants utilisaient quotidiennement des balances à main. Les lingots d'argent avaient des formes différentes selon leur provenance. Ceux-ci proviennent du nord-est de la Chine et ont été fondus au XIXᵉ siècle.

On déplaçait un contrepoids de bronze pendu sous la baguette d'ivoire, le long de l'échelle de graduation.

Le plus gros lingot pèse un liang (une once) et le plus petit un dixième de liang. Il existait aussi des lingots pesant jusqu'à 50 liang.

Motif de fleurs

«FLEUR D'ARGENT»
Au XVIIIᵉ siècle, en Birmanie, la seule monnaie officielle était faite de morceaux d'argent. Ce métal était coulé en forme de crêpes discoïdales appelées «Fleurs d'argent», obtenue en soufflant sur l'argent à l'aide d'une pipette avant qu'il ne soit refroidie.

Poids en bronze de Birmanie

POIDS AU LION
Tous les poids officiels de Birmanie avaient la forme d'animaux : éléphants, canards, taureaux ou lions. Une marque en forme d'étoile était estampée sur la base du poids pour indiquer qu'il avait été vérifié par les autorités du royaume.

LA MONNAIE REVÊT DES FORMES ÉTRANGES

Aussi lourde qu'un rocher, aussi légère qu'une plume, la monnaie revêt des formes diverses. Les objets présentés sur ces pages peuvent nous paraître insolites mais ils n'étaient que «monnaie courante» pour ceux qui les utilisaient. Dans certaines sociétés tribales, les paiements s'effectuaient avec des objets dont la valeur était reconnue par tous : coquillages, houes, sel, grains ou étoffes (pp. 54-55). Leur valeur et leur usage étaient soumis à des règles aussi strictes que celles qui régissent notre monnaie contemporaine. Dans ces sociétés primitives, ces monnaies étaient le plus souvent utilisées pour régler des obligations sociales, comme l'arrangement financier d'un mariage, des compensations ou des amendes.

MONNAIE-HACHE MEXICAINE
Quand les conquistadores espagnols entrèrent au Mexique, les Mexicains utilisaient les fèves de cacao et de petites haches de cuivre dans leurs transactions. Mais elles étaient trop fragiles pour être utilisées comme outil!

MONNAIE-HOUE DU SOUDAN
En Afrique, au XIXe siècle, on utilisait des houes de fer comme moyen de paiement dans les contrats de mariage. Ces paiements en monnaie-houe étaient également pratiqués dans la Chine ancienne (p. 11).

MONNAIE DE PIERRE
Ce genre de disque de pierre était utilisé par les habitants de l'île de Yap, dans le Pacifique, pour effectuer des paiements ou régler des conflits. Les plus grands spécimens mesurent plus de 4 m de diamètre !

Cette monnaie de pierre est taillée dans une roche calcaire, l'aragonite.

Enveloppe de roseau destinée à protéger le sel

Troupeau de bétail africain

BARRE DE SEL D'ÉTHIOPIE
Les barres de sel gemme ont été couramment utilisées en Ethiopie, jusque vers 1920, à la fois pour la cuisine et comme monnaie. Dans l'ensemble de l'Afrique, les troupeaux de bétail sont encore considérés comme symbole de richesse et définissent le rang social.

MONNAIE-COQUILLAGE

C'est en Chine, il y a 3 500 ans, que sont attestés les premiers paiements en cauris. Dans le système d'écriture chinois, le caractère qui désigne la monnaie est la représentation d'un cauri. Ces coquillages furent aussi utilisés comme monnaie en Inde du Xe au XVIIIe siècle, en Thaïlande au XVIIe siècle, et en Afrique au XIXe siècle.

Trésor

Vendre

Acheter

Troquer

Le cauri dans les pictogrammes

Ensemble de cauris

MANILLE DE CUIVRE DU NIGERIA

Ces anneaux de cuivre, appelés manilles, furent utilisés comme moyen de paiement en Afrique occidentale dès le XVe siècle. Ils étaient encore en usage en 1948 (p. 54) parmi les populations Ibo de l'est du Nigeria.

Ceinture de perles confectionnée avec des coquilles de palourdes

MONNAIE-PLUME

Cette «monnaie» a été fabriquée avec de minuscules plumes rouges collées ensemble et fixées sur un rouleau de fibres végétales qui peut atteindre 10 m de long. Les habitants de l'île Santa Cruz, dans le Pacifique, l'utilisaient comme moyen de paiement lors des cérémonies de mariage, ou pour acquérir des canots de haute mer. L'éclat des plumes augmentait la valeur du rouleau.

Chaque dessin carré représente un village indien.

MONNAIE-CEINTURE

Des ceintures de perles de ce type (wampum) étaient confectionnées par des Indiens d'Amérique du Nord avec des coquilles de palourdes blanches et mauves, et servaient de monnaie, généralement pour conclure des accords entre villages. Elles sont souvent ornées de dessins. Sur celle-ci, chacun des trois carrés symbolise un village indien différent.

LA LYDIE EST LE BERCEAU DE LA MONNAIE

Les plus anciennes pièces de monnaie que nous connaissons ont été émises à la fin du VIIe siècle av. J.-C. dans le royaume de Lydie (région de la Turquie actuelle). C'étaient de gros morceaux d'électrum (alliage naturel d'or et d'argent) estampés de figures indiquant leur poids et leur valeur. Le dessin ainsi estampé était une sorte de sceau individuel ou de symbole qui permettait d'identifier la personne qui avait garanti le poids des pièces. Celui des rois de Lydie était une tête de lion. Ce nouveau type d'organisation monétaire connut un grand succès et se répandit jusqu'en Europe. Une méthode analogue fut adoptée dans d'autres contrées pour standardiser d'autres formes de monnaies métalliques : morceaux de cuivre dans le sud de l'U.R.S.S et en Italie, outils de bronze et coquillages en Chine, anneaux d'argent en Thaïlande et lingots d'or et d'argent au Japon.

INSTRUMENTS DE FRAPPE
Pièce romaine présentant d'anciens instruments servant à frapper des monnaies : coin mobile (en haut) et coin fixe (au centre), marteau (à droite) et pincettes (à gauche)

Marques faites par poinçon

Pièce de 1 statère

1/6e de statère

1/24e de statère

EMBLÈME ROYAL
Le poids des monnaies de Lydie était estimé en statère, unité d'une valeur de 14 g environ. Des monnaies divisionnaires furent également frappées dont des pièces de 1/96e de statère! Chaque flan de métal, placé entre deux coins, dont l'un était fixe et le second mobile, recevait le coup de marteau qui donnait l'empreinte. Gravée sur le coin fixe, la tête de lion – emblème des rois de Lydie – devint l'estampille des pièces lydiennes (600 av. J.-C.).

Lettres grecques

ANIMAUX SYMBOLIQUES
Sur cette pièce de l'ouest de la Turquie (à gauche), l'inscription grecque placée au-dessus du cerf signifie : «Je suis le sceau de Phanes.» Celui-ci est assez proche de l'ancien sceau grec de Mandronax (au-dessus), qui avait pour emblème un bélier.

Lingot de cuivre

Ceos, 525 av. J.-C.

Carie, 530 av. J.-C.

Andros, 525 av. J.-C.

Egine, 540 av. J.-C.

Athènes, 540 av. J.-C.

PREMIÈRES MONNAIES D'ARGENT
L'usage des pièces de monnaie se répandit si rapidement de la Turquie vers le monde grec qu'en l'espace de moins de cent ans, on frappait des pièces jusqu'en Italie ou en Libye. Les dessins de quatre de ces pièces sont les emblèmes des villes qui les émirent : un lion pour Carie, en Turquie; un vase, un calmar et une tortue pour les îles d'Andros, de Ceos et d'Egine. Le scarabée est l'emblème personnel d'un magistrat d'Athènes. Ces pièces avaient été enterrées à titre d'offrande à la déesse Artémis (Diane) dans les fondations du temple qui lui était dédié, à Ephèse vers 560 av. J.-C.

Monnaie-couteau

Monnaie d'Olbia
au dauphin,
IVᵉ siècle av. J.-C.

Monnaie-
houe

Monnaie ronde d'Olbia,
IVᵉ siècle av. J.-C.

MONNAIES DE CUIVRE FONDUES
Avant que les pièces ne soient adoptées à Olbia, (aujourd'hui en U.R.S.S.), à Rome ou dans les cités latines et étrusques d'Italie centrale, on utilisait comme monnaie de lourds morceaux de cuivre fondu. Sous l'influence du monnayage grec, on assortit ces lingots (fondus dans un moule) de dessins pour les transformer en pièces. A Olbia, la plupart d'entre elles étaient rondes mais certaines avaient la forme d'un dauphin.

UNE MONNAIE ÉLÉPHANTESQUE
A Rome, les premières monnaies-lingots avaient la forme rectangulaire des lingots bruts traditionnels. L'éléphant indien que l'on voit ici fait référence aux éléphants de guerre utilisés par l'armée grecque qui envahit l'Italie du Sud en 280 av. J.-C.

Monnaie en forme de coquille de cauri

DES FORMES FAMILIÈRES
Les premières monnaies chinoises (vers 500 av. J.-C.) étaient en bronze et avaient la forme des outils ou des cauris (coquillages) jadis utilisés comme monnaie par les Chinois (p. 9).

MONNAIE DE POIDS!
Avant de fabriquer des pièces, les populations de Thaïlande utilisaient comme monnaie de lourds anneaux d'argent. Transformés en pièces (XVIIᵉ siècle), ils reçurent alors une estampille officielle et leur aspect fut modifié par pliage ou martelage.

CHEFS JAPONAIS
Les «Shogouns» étaient de redoutables dictateurs militaires qui dirigèrent le Japon du XIIᵉ au XIXᵉ siècle.

Koban d'or, 1601

LINGOTS JAPONAIS
A la fin du XVIᵉ et au début du XVIIᵉ siècle, le chef japonais Ieyasu, qui devint le premier Tokugawa Shogoun en 1603, réorganisa le système monétaire. Ses monnaies d'or et d'argent avaient la forme de plaques fondues ou martelées des lingots précédemment utilisés comme monnaie.

Mameita d'argent, 1601

Nibu d'or, 1818

L'IDÉE DU PAPIER-MONNAIE EST NÉE EN CHINE

Les billets ne sont que des morceaux de papier mais leur valeur dépend de ce qu'ils représentent. Ce sont les Chinois qui, les premiers, ont compris l'avantage de posséder et d'utiliser de l'argent sous forme de papier imprimé. Au cours du Xe siècle, le gouvernement chinois fit frapper de lourdes pièces de cuivre de faible valeur libératoire, ce qui incitera les utilisateurs à s'en défaire et à les laisser aux commerçants en échange d'un reçu rédigé à la main. Au début du XIe siècle, percevant l'avantage de ce procédé, le gouvernement imprima lui-même des reçus, officiellement considérés comme monnaie.

DIFFICILE À PERDRE!
La taille du billet ci-dessous ne permettait pas qu'on l'emporte partout avec soi. Le plus grand que l'on connaisse mesurait 22,8 cm sur 33 cm.

BILLET JAPONAIS
L'usage du papier-monnaie s'étendit au Japon au cours du XVIIe siècle. La plupart des billets furent émis par des temples et par des clans féodaux.

Billet «marque-page» japonais, de 1746

MONNAIE DE TEMPLE
Les temples japonais, comme celui-ci, de Kyoto, émettaient leurs propres billets, tout comme des banques.

ON SE SENT PLUS LÉGER
Au centre du dessin de ce billet chinois du XIVe siècle, on peut voir les 1 000 pièces dont il représente la valeur, et qui auraient pesé environ 3, 5 kg. On comprend que les Chinois aient été les premiers à utiliser le papier-monnaie!

BILLET À ORDRE ANGLAIS
Longtemps avant l'apparition du papier-monnaie en Europe, on utilisait des billets à ordre manuscrits. Celui-ci (1665) fut adressé par John Lewis à des prêteurs londoniens auxquels il demandait de payer 50 livres, prises sur son compte, à son serviteur.

LA SUÈDE DONNE L'EXEMPLE
En 1661, au cours d'une période de pénurie monétaire, la Swedish Stockholm Bank commença à émettre le premier papier-monnaie imprimé en Europe. Ce billet (1666) représente 100 dalers d'argent (pp. 44-45).

Sceau de cire

LA NORVÈGE SUIT L'EXEMPLE
Un commerçant norvégien, Jorgen Thor Mohlen, mit à son tour en circulation des billets imprimés (1695). Il les échangeait contre des pièces qui lui permirent de faire marcher son commerce.

JOHN LAW
C'est à l'Ecossais John Law que l'on doit la première émission de papier-monnaie en France.

LA BANQUE ROYALE FRANÇAISE
En 1718, la banque dirigée par l'Ecossais John Law à Paris reçut du roi l'autorisation d'émettre des billets libellés en livres Tournois. Mais une émission excessive provoqua l'effondrement de leur cours.

BILLET DE LA BANQUE D'ÉCOSSE
A la fin du XVII siècle, on commença à émettre des billets de banque en Grande-Bretagne. La Banque d'Ecosse émit des billets libellés en monnaie écossaise, comme celui-ci, daté de 1723. Douze livres écossaises équivalaient à une livre anglaise.

BILLET DE LA PAPAUTÉ
Ce billet de 31 scudi fut mis en circulation en 1786 sous le règne de Pie VI, dans les Etats du Pape. Il fut émis par la première banque nationale d'Europe que créa le pape Pie V à Rome, en 1605.

BILLET AMÉRICAIN
Lorsque le gouvernement anglais renonça à approvisionner ses colonies en monnaie, celles-ci décidèrent d'émettre leur propre papier-monnaie appelé *bills* (p. 28).

BILLET DE COMMERCE
Les banques de commerce ont largement contribué à répandre l'usage du papier-monnaie. Ce billet fut émis en 1954 à Hong-Kong par la Chartered Bank, établie à Londres.

13

Un artiste travaille
sur les dessins

COMMENT SONT FRAPPÉES LES PIÈCES

Pour fabriquer une pièce de monnaie, on appose des dessins sur un flan de métal (pièce ronde non encore frappée). Ces dessins sont estampés par compression du flan entre deux morceaux de métal très dur, appelés «coins». Ce procédé, la frappe, fut inventé il y a 2 600 ans. L'un des coins était alors fixé sur un billot de bois et portait une gravure réalisée en creux à la main; l'autre était une sorte de poinçon (p. 10). De nos jours, on utilise d'énormes machines électriques qui découpent les flans, reproduisent les gravures sur les coins et réalisent la frappe, comme le montre cet exemple de fabrication d'une pièce de 50 pence émise en 1973 en Grande-Bretagne pour célébrer l'entrée de ce pays dans la Communauté économique européenne.

MODÈLE EN PLÂTRE
Une fois que les dessins de la nouvelle pièce ont été approuvés, un artiste réalise un modèle agrandi, en plâtre, sur lequel il cisèle les moindres détails. Plus ceux-ci sont nombreux, plus la pièce sera difficile à contrefaire.

GALVANOPLASTIE
A partir du modèle en plâtre on réalise une version métallique (ci-dessous) grâce à un procédé complexe appelé galvanoplastie.

La galvanoplastie se compose d'une surface dure de nickel posée sur une «âme» de cuivre.

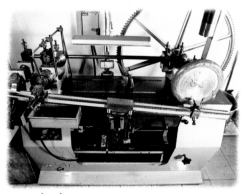

TOUR À RÉDUIRE
Sur cette machine, une tige relie une pointe métallique à un foret. La pointe suit les reliefs de la galvanoplastie et le foret en grave une version réduite sur un poinçon d'acier (ci-dessus à gauche).

Le tour
à réduire
a gravé ce poinçon
de plus petite taille.

Le poinçon
(à gauche) sert
à imprimer la gravure sur
cet autre outil, ou «matrice».

Morceau de barre de cuivre, appelé gueuse

LAMINOIRE
Lorsque le cupronickel a été fondu en plaques, celles-ci sont laminées jusqu'à ce qu'elles aient atteint l'épaisseur nécessaire.

LE CUPRONICKEL
La pièce britannique de 1973 est faite d'un alliage appelé cupronickel. Au cuivre pur, très bon marché mais trop malléable, est mélangée une petite quantité de nickel qui le durcit. Du fait de sa couleur argentée, le cupronickel remplace l'argent dans la fabrication des pièces de forte valeur faciale.

Le nickel brut arrive à la Monnaie sous forme de pastilles.

Les flans sont chauffés dans un fourneau spécial. Ce procédé est appelé recuit.

Plaque de cupronickel après un premier laminage

Les flans recuits sont nettoyés à l'acide. C'est le stade du décapage.

Une presse à découper donne aux flans la forme de la pièce.

Lame de métal percée, ou grille

LA FABRICATION DES FLANS
Lorsque la lame de cupronickel a l'épaisseur requise, elle est passée dans une presse qui découpe les flans. Après cette opération, la lame, percée de trous, sera à nouveau fondue pour produire une lame neuve. Les flans, recuits et nettoyés, seront prêts pour la dernière opération : la frappe.

LE RÉSULTAT FINAL
Cette pièce de 50 pence (à la taille réelle) fut frappée en 1973 pour commémorer l'entrée de la Grande-Bretagne dans la Communauté européenne. Sa forme inhabituelle rend plus difficile sa contrefaçon.

Pièce achevée

PRESSE MONÉTAIRE
Les flans sont enfin apportés à la presse monétaire dans laquelle les deux coins ont été préalablement ajustés (à gauche). Chaque flan est ensuite pressé entre ces coins. Fabriquer des pièces de monnaie sans disposer de ces machines sophistiquées est donc une véritable gageure.

La matrice a servi à imprimer ce poinçon de service.

Le poinçon de service (à gauche) a été utilisé pour fabriquer ce coin.

Plaque laminée découpée dans un rouleau

15

FABRIQUER DES BILLETS : UNE OPÉRATION DÉLICATE

La fabrication des billets de banque est une activité secrète et complexe, car les imprimeurs doivent s'assurer que les billets qu'ils fabriquent sont aussi difficiles que possible à imiter (pp. 18-19). Quelques aspects de cette activité vous sont révélés sur ces pages, à travers l'œuvre d'un des plus célèbres imprimeurs de billets. Quatre étapes principales sont représentées : le dessin, la fabrication du papier, le choix de l'encre et l'impression. Celle-ci est réalisée grâce à trois procédés : la lithographie, la gravure en taille-douce et l'impression des lettres. Pour chacune d'elles, à chaque étape, et pour chacun des dessins figurant sur le billet, les matériaux sont différents.

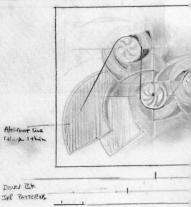

On utilise des burins pour graver le dessin sur la plaque de métal.

Polissoir pour égaliser la partie lisse

LOUPE
Le graveur a besoin d'une loupe pour travailler sur les minuscules détails du dessin qui ont pour fonction essentielle de rendre la contrefaçon plus difficile.

LE FIL DE SÉCURITÉ
Fabriqué tout d'abord en métal, ce fil est aujourd'hui en plastique et incorporé au papier. Pour les faussaires, ce procédé est un des plus difficiles à imiter à la perfection.

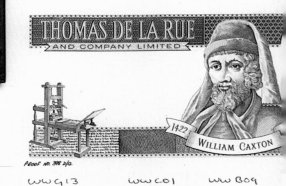

GRAVURE EN TAILLE-DOUCE
Les principaux motifs du dessin sont imprimés à partir d'une plaque métallique gravée avec des outils tranchants, à la main et à l'envers. Seule la partie gravée de la plaque sera encrée, laissant ainsi la surface lisse parfaitement propre.

ÉPREUVE DE GRAVURE
Ce spécimen est imprimé à partir de la plaque gravée en taille-douce. L'impression consiste à exercer une forte pression sur la plaque pour faire sortir l'encre des zones gravées et obtenir ainsi un léger relief sur le papier, que l'on peut sentir en y passant le doigt. Quelques banques utilisent ce procédé pour faciliter l'identification des billets par les aveugles (pp. 34-35).

PREMIÈRES ESQUISSES

Un artiste dessine l'esquisse des motifs principaux qui figureront sur le billet. Celle de gauche indique la place des principaux éléments, et celle du dessous les détails du fond coloré. La préparation à l'impression peut alors commencer.

Epreuve de bleu

Epreuve de jaune

Epreuve de rouge

Spécimen montrant la combinaison des trois couleurs

ÉPREUVE DE LITHOGRAPHIE

Les dessins en couleurs qui constituent le fond sont imprimés par lithographie-offset. Des encres de couleurs différentes sont réparties en trois groupes : le bleu, le jaune et le rouge. A chacun d'eux correspond une plaque d'impression obtenue par un procédé photographique. L'encre de chaque plaque est alors reportée sur un cylindre de caoutchouc qui imprimera ensuite l'image complète sur le billet. La série ci-contre montre la succession d'images reproduites séparément et leur combinaison finale.

Moulin à papier Portal (Angleterre, 1854)

FABRICATION DU PAPIER

Les billets de banque doivent être solides, aussi sont-ils imprimés sur un papier spécial à base de fibres de coton, auquel on incorpore un filigrane ou un fil de sécurité pour déjouer les contrefaçons.

LES ENCRES

Ces huit encres, obtenues en mélangeant 22 couleurs, donneront la combinaison exacte des teintes nécessaires. Pour des raisons de sécurité, elles possèdent des caractéristiques particulières et invisibles qui rendront les contrefaçons plus difficiles, et ne sont utilisées que pour l'impression des billets ou d'autres documents de valeur.

LA MACHINE À NUMÉROTER

Le processus final de l'impression consiste à imprimer les numéros de série sur chaque billet à l'aide d'une machine à numéroter. Les numéros ne peuvent être inscrits dans la gravure en taille-douce ni dans les plaques d'offset car ils sont différents pour chaque billet. Les signatures, régulièrement renouvelées, peuvent être imprimées selon ce procédé.

LE RÉSULTAT FINAL

Avec ce type de billet, Thomas de la Rue propose à ses clients les dernières mesures de sécurité destinées à protéger les vrais billets des imitations. Ils seront présentés aux banques de pays lointains comme la Nouvelle-Zélande, le Népal, le Botswana ou le Pérou, aussi bien qu'aux banques du Royaume-Uni, des îles Anglo-Normandes ou d'Europe.

LA CONTREFAÇON EST UN EXERCICE PÉRILLEUX

La fabrication de fausse monnaie est depuis toujours une pratique criminelle. Dans le passé, les faussaires s'exposaient à être amputés des mains, déportés, ébouillantés ou exécutés! Cependant, attirés par les profits que l'on peut réaliser en transformant des morceaux de métal ou de papier sans valeur en monnaie sonnante et trébuchante, les faussaires continuent à enfreindre la loi. Mais, de nos jours, les peines infligées sont de fortes amendes ou l'emprisonnement. S'ils abusent le public, les faussaires volent également l'État sous l'autorité duquel la monnaie est émise. En dépit de tous les efforts déployés par les fabricants de monnaie métallique ou les imprimeurs de billets pour rendre les contrefaçons impossibles, celles-ci ont toujours leurs adeptes!

De nos jours, l'emprisonnement est la peine habituellement infligée aux faux-monnayeurs, mais on tente aussi de dissuader les faussaires potentiels par de lourdes amendes.

LA CONTREFAÇON PAR PLACAGE
Ces copies de pièces grecques n'étaient pas en or pur mais en cuivre plaqué or. Elles n'étaient détectées comme fausses que lorsque le placage s'écaillait, révélant ainsi le cuivre verdi.

Enveloppe d'argent

Disque d'étain

DOLLAR D'ÉTAIN
Cette fausse pièce chinoise de 1 dollar d'argent mexicain, trouvée à Shanghai dans les années 1930, était obtenue en enfermant un disque d'étain dans une mince enveloppe d'argent.

Pièce ronde de 1 demi-couronne découpée selon la forme d'une pièce de 50 pence

Pièce authentique

Copie en plomb

PIÈCES MAQUILLÉES
Ces deux copies de la pièce anglaise de 50 pence étaient destinées à tromper ceux qui n'étaient pas encore familiarisés avec le nouveau système décimal. L'une est en plomb et l'autre a été découpée dans une ancienne pièce ronde.

Une banque imaginaire

UNE BANQUE DE NULLE PART
Lorsque l'Italie manqua de petite monnaie dans les années 1970, des banques italiennes mirent en circulation des billets de petite valeur. Un faussaire ingénieux imprima ses propres billets, mais au nom d'une banque qui n'avait jamais existé!

UNE CONTREFAÇON ARTISANALE
Tous les détails de ce faux billet suédois de 10 dalers, de 1868, ont été reproduits à la main. Ce fut sans doute une tâche de longue haleine, mais on peut présumer qu'elle fut rentable!

CHERCHEZ LES ERREURS
Le billet de gauche est la copie de celui de droite, émis en 1835 par la Banca Romana (tous deux en réduction). Le faussaire a reproduit la plupart des détails (y compris la phrase du bas qui indique «la loi punit le contrefacteur»!), mais des erreurs ont permis de déceler son crime. Combien pouvez-vous en trouver?

VÉRIFIEZ LA MONNAIE!
Afin de se protéger des contrefaçons, les commerçants vérifiaient l'authenticité des pièces qu'ils recevaient en paiement. Lorsque celles-ci étaient en or ou en argent, ils contrôlaient, selon diverses méthodes, la qualité du métal et son poids.

Pièce en or de 24 carats

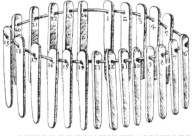

LA CORDE DE LA POTENCE
Ce dessin satirique a la forme d'un billet de la Banque d'Angleterre. Il critique les peines prononcées contre les utilisateurs de faux billets et montre Britannia (emblème de la banque) dévorant des enfants; la livre sterling est symbolisée par une corde de pendu.

Poinçons pour vérifier que les pièces ne sont pas plaquées.

Pièce grecque du Vᵉ siècle

Pièce des Indes portugaises, 1688

PIERRE DE TOUCHE ET AIGUILLES
Pour vérifier la quantité d'or contenue dans une pièce, le commerçant marquait la pierre de touche avec une aiguille en or (ci-dessus), puis il comparait cette marque avec celle qu'avait laissée la pièce (à gauche). Ces traces ont été faites (de gauche à droite) avec de l'or à 24, 9, 12, 15, 18 et 22 carats.

PIÈCES VÉRIFIÉES
Les changeurs pouvaient entailler les pièces pour s'assurer qu'elles n'étaient pas plaqués. La pièce indienne (ci-dessus) a été contrôlée à l'aide de petits poinçons gravés.

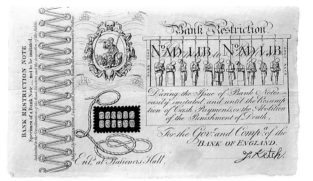

DIRECTIONS for using Mᴿˢ HENRY'S, Royal Patent Ballance & Gauge for Gold Coin of the laſt & preſent Reign, (Agreable to the laſt Regulation.)

1ˡʸ Put your Coin in the ſwinging Pan and to weigh a Guinea ſlide the weight home to the end of the Beam; for a Half Guinea advance it forward home to the ſmall Pin, then preſs the Braſs Laver in the middle & the weight will be determined; the Quarter Guinea is weighed the ſame as the Half Guinea by putting the Quarter Guinea weight in the Pan with the Quarter Guinea. — 2ˡʸ apply your Coin to the Gauge, the large ſtroke for the Guinea, the middle one for the Half and the ſmall one for the Quarter dʳ if they Paſs through (on turning them all round) be aſſur'd they are not Counterfeits. pr 18. 6ᵈ

Sold in London Wholeſale by James Stamp Goldſmith, Cheapſide. Woolley, and Heming Hardwaremen Cheapſide Stibbs, and Deane, Hardwaremen, Fiſh Street Hill.

BALANCE ET POIDS MONÉTAIRES
Cette balance anglaise était utilisée au XVIIIᵉ siècle pour peser les pièces en or. Les poids de bronze, ci-dessous, sont du XVIIᵉ siècle et proviennent de Belgique. Ils permettaient de peser les pièces des Pays-Bas, de France, d'Angleterre, d'Ecosse, d'Italie, du Portugal, de Hongrie et du Maroc.

Une pièce plaquée ne passait pas à travers la fente.

PAS DE COMMERCE SANS MONNAIE

Du plus petit magasin de village au marché international, l'argent est un moyen d'échange entre le vendeur et l'acheteur. Au temps où les métaux précieux comme l'or ou l'argent constituaient la monnaie, d'énormes coffres remplis de pièces faisaient le tour du monde pour les besoins du commerce. Parfois, l'argent ne changeait pas physiquement de place, mais des documents, appelés lettres de change, attestaient le transfert de propriété d'un lieu à un autre. Aujourd'hui, bien que l'on utilise encore la lettre de change, la plupart des paiements internationaux s'effectuent par téléphone ou par ordinateur (pp. 58-59).

MANUEL DE CHANGE
Dans le courant du XVIᵉ siècle, les marchands hollandais voyaient passer entre leurs mains des pièces de monnaie provenant des quatre coins du monde et devaient recourir à des ouvrages spécialisés pour les identifier et connaître leur valeur. Les pages de ce livre, imprimé en 1580 à Anvers, nous montrent des dalers d'argent scandinaves.

DES CHOUETTES PAR MILLIERS
Cette pièce en argent, d'Athènes (à droite), est à l'effigie de la chouette, oiseau d'Athéna, déesse de la sagesse, protectrice des sciences et des arts. Athènes, la plus riche des cités de la Grèce antique, commerçait avec le monde entier, et sa chouette connut une telle vogue que de nombreux pays s'en inspirèrent.

Turquie

Italie

Irak

Palestine

Iran

Egypte

Arabie Saoudite

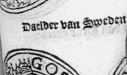

Daelder van Denemercke.

Daelder van Sweden.

Daelder van Sweden.

Daelder van Sweden.

Daelder van Denemercke.

Daelder van Sweden.

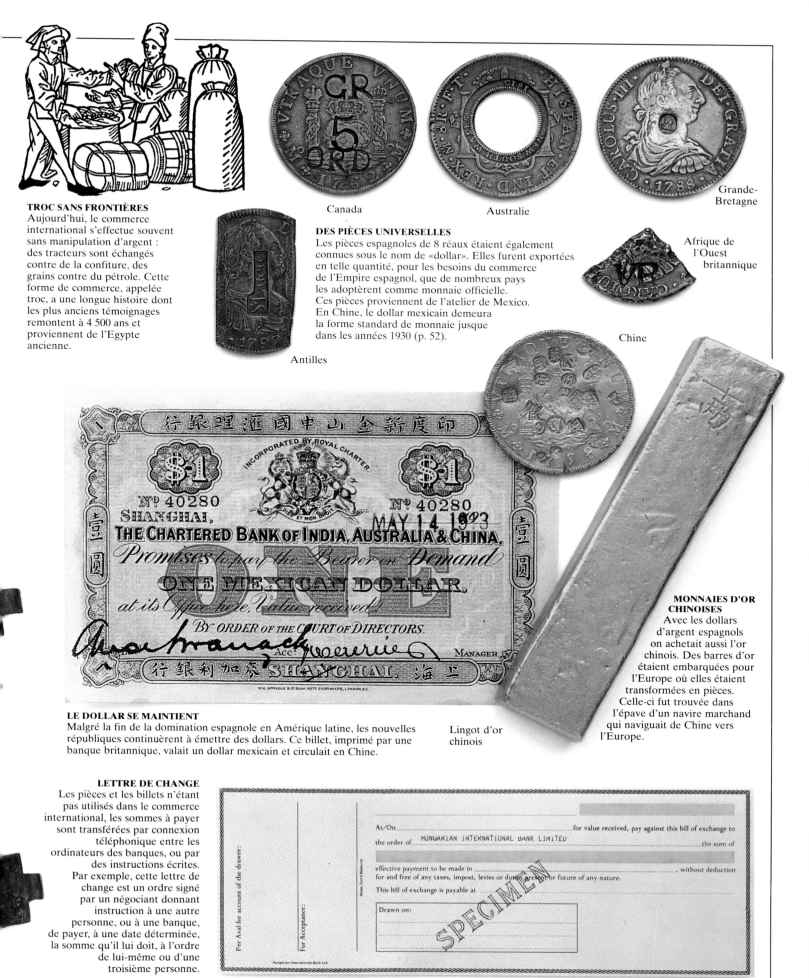

TROC SANS FRONTIÈRES

Aujourd'hui, le commerce international s'effectue souvent sans manipulation d'argent : des tracteurs sont échangés contre de la confiture, des grains contre du pétrole. Cette forme de commerce, appelée troc, a une longue histoire dont les plus anciens témoignages remontent à 4 500 ans et proviennent de l'Egypte ancienne.

Canada

Australie

Grande-Bretagne

Antilles

DES PIÈCES UNIVERSELLES

Les pièces espagnoles de 8 réaux étaient également connues sous le nom de «dollar». Elles furent exportées en telle quantité, pour les besoins du commerce de l'Empire espagnol, que de nombreux pays les adoptèrent comme monnaie officielle. Ces pièces proviennent de l'atelier de Mexico. En Chine, le dollar mexicain demeura la forme standard de monnaie jusque dans les années 1930 (p. 52).

Afrique de l'Ouest britannique

Chine

LE DOLLAR SE MAINTIENT

Malgré la fin de la domination espagnole en Amérique latine, les nouvelles républiques continuèrent à émettre des dollars. Ce billet, imprimé par une banque britannique, valait un dollar mexicain et circulait en Chine.

Lingot d'or chinois

MONNAIES D'OR CHINOISES

Avec les dollars d'argent espagnols on achetait aussi l'or chinois. Des barres d'or étaient embarquées pour l'Europe où elles étaient transformées en pièces. Celle-ci fut trouvée dans l'épave d'un navire marchand qui naviguait de Chine vers l'Europe.

LETTRE DE CHANGE

Les pièces et les billets n'étant pas utilisés dans le commerce international, les sommes à payer sont transférées par connexion téléphonique entre les ordinateurs des banques, ou par des instructions écrites. Par exemple, cette lettre de change est un ordre signé par un négociant donnant instruction à une autre personne, ou à une banque, de payer, à une date déterminée, la somme qu'il lui doit, à l'ordre de lui-même ou d'une troisième personne.

L'ARGENT EST LE NERF DE LA GUERRE

L'argent joue un rôle important dans les guerres et leur préparation, car il permet d'acquérir des armes, de payer des soldats, et parfois même de recourir aux mercenaires auxquels on verse des sommes importantes. Dans les villes assiégées, les privations de toute sorte entraînent l'émission de nouvelles formes de monnaie, ou la mise en circulation de moyens de paiement officiels, comme les cigarettes. Très souvent, l'argent récompense les succès militaires et, jadis, il arrivait fréquemment que les soldats recrutés aient su à l'avance qu'ils seraient payés sur les biens pris à l'ennemi.

HONNEUR AU VAINQUEUR
Cette pièce d'argent (légèrement agrandie) a été frappée par Alexandre le Grand en 326 av. J.-C. pour commémorer sa victoire face à un roi indien, représenté ici sur un éléphant.

L'OR DU SIÈGE
Quand les Spartiates assiégèrent Athènes, en 406 av. J.-C., les pièces «à la chouette», en argent, vinrent à manquer (p. 20) et les Athéniens firent fondre les statues d'or de la déesse Victoire pour en frapper de nouvelles!

SECOURS D'URGENCE
En 1793, lorsque l'armée prussienne assiégea les troupes révolutionnaires françaises à Mayence, l'armée française émit des «billets d'urgence» pour faire face à la pénurie d'espèces.

Pendant la guerre civile britannique (1642-1648), les Cavaliers combattirent les Têtes rondes pour s'emparer du pays.

DE LONDRES À OXFORD
Charles Ier frappa cette pièce en 1644 à Oxford, après que ses opposants au Parlement (dits Têtes rondes) se furent emparés de l'atelier monétaire de Londres.

VAISSELLE EN MORCEAUX
En 1644, les troupes royalistes (Cavaliers), assiégées dans Scarborough Castle (au nord de l'Angleterre), découpèrent des plats en argent pour faire des pièces sur lesquelles figurait le château.

DOUBLE PERTE
En 1864, pendant la guerre de Sécession, les Etats confédérés d'Amérique émirent des billets qui devaient être échangés contre des pièces à la fin de la guerre. Mais ils furent vaincus et les billets ne furent jamais remboursés!

Les Confédérés, drapeau au vent, attaquent une position forte des Yankees pendant la guerre de Sécession.

À LA BOUTONNIÈRE
Ces insignes patriotiques figurent le commandant en chef des troupes britanniques, lord Roberts (en haut), et l'un de ses officiers, le colonel Baden-Powell (fondateur du scoutisme en 1908), qui furent à l'origine de l'émission des billets.

Point d'impact d'une balle

TALISMAN PROTECTEUR
Pendant la guerre de Trente Ans, en Europe, de nombreux soldats allemands portaient un thaller de Saint-Georges (à gauche) censé les protéger des balles. A la bataille de Culloden, en Ecosse, un soldat anglais fut sauvé de la mort par un demi-penny de cuivre (à droite) qui porte l'impact de la balle.

Pièces en or boer

MESURES EXCEPTIONNELLES
Pendant la guerre en Afrique du Sud, les Boers et les Anglais produisirent des monnaies dites «de nécessité». En 1900, les Anglais, assiégés par les Boers dans Mafeking, émirent des billets comme celui-ci. Après la chute de Pretoria et la perte de leur atelier monétaire, les Boers fabriquèrent des pièces en or, dans un atelier de forgeron.

BILLET RÉVOLUTIONNAIRE
Une importante émission de billets, comme celui-ci, de 10 pesos, fut réalisée par la trésorerie provinciale d'Ocana, en Colombie, pour payer la solde de l'armée révolutionnaire du général Urribe.

BUTIN
Ce dollar d'argent mexicain, monté en pendentif, provient du butin saisi en 1914 par un équipage australien sur un navire allemand.

«POUR NELLIE, DE LA PART DE FRED»
Au moment de s'embarquer pour la France durant la Première Guerre mondiale, un soldat anglais a fait de cette pièce un souvenir pour son épouse.

L'ARGENT DES «RATS DU DÉSERT»
Les soldats anglais qui servaient en Libye pendant la Seconde Guerre mondiale étaient payés en billets italiens libellés en lires, monnaie officielle de cette ancienne colonie.

POUR FUMER OU POUR PAYER
A la fin de la Seconde Guerre mondiale, on pallia la faible quantité de billets et de pièces en circulation en Europe par l'usage d'autres objets. Les cigarettes, la nourriture ou les vêtements devinrent des monnaies d'échange très prisées. Mais il n'y avait pas de stèle d'Hammourabi (p. 6) pour fixer le barème des changes.

MONNAIE D'OCCUPATION
La lire fut également utilisée en Grèce par l'armée d'occupation italienne. Ce billet, émis en 1944, était en usage à Rhodes. Romulus et Remus, nourris par la louve, y sont associés à deux pièces de l'Antiquité émises déjà à Rhodes.

LES POUVOIRS DE L'ARGENT SONT MULTIPLES

Si l'on en croit l'avare, toujours inquiet sur le sort de sa cagnotte, ou le voleur, toujours exposé au risque de se retrouver en prison, on serait tenté de croire le vieil adage rappelant que «l'argent ne fait pas le bonheur» et qu'il est la source de tous les maux. Et pourtant, depuis que l'argent existe, toutes sortes de croyances l'ont investi de pouvoirs bénéfiques : portées en amulettes, les pièces de monnaie préservaient jadis des démons, de la peste, de la mort au combat, ou encore assuraient l'amour éternel de l'être aimé.

Le dieu phénicien Melqart apparaît sur l'avers (côté face) de ces shekels.

POUVOIR FATAL
Le roi Midas avait demandé aux dieux de pouvoir transformer en or tout ce qu'il touchait. Il eut tôt fait de découvrir les méfaits de ce don bénéfique lorsque sa nourriture, sa boisson et même sa fille préférée furent transformés en or!

MONNAIE SCÉLÉRATE
Vols, incendies, corruptions, meurtres, tels sont les crimes auxquels pousse parfois le désir de se procurer de l'argent. L'argent est certes indispensable à la vie de tous les jours mais, plus que la pauvreté ou le besoin, la cupidité ou l'envie sont à l'origine de ces actes criminels.

PIÈCE ROGNÉE
Avant l'invention de la frappe mécanique, les pièces n'étant pas parfaitement rondes, on pouvait enlever un peu de métal de leur tranche sans qu'elles puissent être refusées. Ces copeaux ont été rognés sur des pièces anglaises de la fin du XVIIᵉ siècle. Pendant le règne du roi d'Angleterre Guillaume III (1689-1702), de nombreuses personnes coupables d'avoir entamé des pièces furent exécutées.

ATTENTION PIRATES!
Les flottes espagnoles qui ramenaient vers l'Europe les pièces d'argent de 8 réaux et les doublons d'or du Mexique (pp. 38-39) furent la cible principale des pirates. N'ayant que rarement l'occasion de dépenser leurs prises, ils enterraient leurs trésors en prévision de leur «retraite»!

Jeton en souvenir d'un enfant décédé à dix-huit mois

Cœurs et colombes symbolisent l'amour.

Ces pièces furent émises par l'empereur chinois Xangxi. Les idéogrammes qui y figurent représentent son nom et signifient santé et prospérité.

MARY RAMSHAW BORN MAY ᵗ⁴ 1773 AGED 18 MONTH DIED OCT ᵗ 19 1774

GAGES ET SOUVENIRS
En Angleterre et en Amérique, il était de coutume pour les fiancés d'échanger des pièces comme gage de leur amour (en haut). Il existait aussi des jetons en souvenir de disparus (au centre), ou pour commémorer une naissance (à droite).

Willᵐ Culling BORN April 16ᵗʰ 1799

TRENTE PIÈCES D'ARGENT
La trahison de Jésus par l'un de ses apôtres, Judas, fut récompensée en monnaie sonnante et trébuchante : trente pièces d'argent. Il s'agissait de shekels de la cité phénicienne de Tyr, abondamment émis dans la Palestine du Ier siècle.

ÊTES-VOUS AVARE?
Veiller à son argent n'est pas un vice (p. 56), mais ne plus en dépenser, ni pour soi ni pour les autres, tel est l'excès auquel peut pousser l'avarice!

Ce sabre était censé éloigner les démons de la fièvre.

Le rouge est la couleur porte-bonheur des Chinois.

Un défunt tend son droit de passage à Charon.

EXORCISME
Suspendu au-dessus du lit des malades, ce sabre chinois, fait de pièces de monnaie, était censé chasser les démons, tout comme ce talisman en forme de pièce (ci-dessus, à droite). En Grande-Bretagne, les souverains offraient une pièce d'or à leurs sujets malades pour les aider à guérir (au centre). En Allemagne, des médailles d'argent, comme celle de droite, avaient la réputation de protéger de la peste.

MONNAIE ENCHANTÉE
L'argent semble conférer à ceux qui en possèdent une position enviable dans notre société puisqu'il leur donne le moyen d'acquérir tout ce qu'ils désirent. Mais à ce pouvoir matériel s'ajoute parfois un pouvoir magique et d'essence spirituelle attribué aux légendes et dessins gravés sur certaines pièces, qui deviennent alors des talismans.

LE PRIX DU VOYAGE
Selon la mythologie, les anciens Grecs déposaient une pièce d'argent, ou obole, dans la bouche des morts pour payer Charon, le passeur qui faisait traverser la rivière Styx aux défunts afin de les faire pénétrer aux Enfers. Cette pièce (à gauche) a été trouvée dans la bouche du cadavre d'un Perse.

L'inscription de ce billet indique qu'il a été émis par la Banque du Ciel.

ARGENT MAGIQUE
Cette pièce (ci-dessus) était un talisman qui assurait aux voyageurs européens la protection de saint Georges, patron des cavaliers. Les Indiens musulmans gravaient le nom de Mahomet sur une imitation de roupie carrée. L'image du dieu-singe Hanuman, sur la roupie d'argent de droite, apportait le réconfort aux Hindous.

MONNAIE CÉLESTE
Les Chinois envoient de l'argent à leurs ancêtres décédés en brûlant des billets spécialement imprimés pour cet usage.

Le dieu-singe Hanuman, protecteur des pauvres

HORS DE PRIX
Un timbre comme ce «Black Penny» peut valoir de 1 400 à 27 500 francs selon son état. Mais un «Penny Blue» est encore plus cher : de 3 000 à 55 000 francs.

QUE FAIRE D'UNE FORTUNE?

Si vous deveniez soudain riche à millions, que feriez-vous? Iriez-vous aussitôt dilapider toute votre fortune? Prendriez-vous le temps de réfléchir? Décideriez-vous d'investir ou de mettre un peu d'argent de côté pour l'avenir? Ou encore de ne rien dépenser? Si vous choisissiez de ne rien garder, sachez que ce n'est pas aussi facile qu'on l'imagine! En effet, après avoir acquis appartement ou immeuble, voiture de luxe ou avion, bateau, bijoux, il vous resterait sans doute de quoi acheter des vêtements à la mode, des ordinateurs, des chaînes hi-fi, etc. Vous pourriez également commencer une collection de timbres rares, de vieux livres, de poupées ou de pièces de monnaie anciennes.

Pièce à l'effigie de l'empereur romain Dioclétien (284-305 apr. J.-C.)

Pièce à l'effigie de la reine d'Angleterre Anne Stuart, de 1703

Pièce grecque ancienne (460 av J.-C.)

LA RARETÉ VAUT DE L'OR
Chacune de ces trois pièces (taille réelle) vaut plusieurs milliers de francs. C'est la rareté de cette pièce romaine en or (en haut à gauche), de cette pièce d'or anglaise de 5 guinées (en haut à droite), et de cette pièce grecque ancienne de 10 drachmes qui fait leur valeur. Mais on peut faire collection de pièces sans être millionnaire (pp. 60-61).

UNE MONTAGNE D'ARGENT
Ces piles rassemblent 10 000 billets de 100 dollars soit, au total, un million de dollars. L'homme le plus riche du monde est, dit-on, le sultan de Brunei, dont la fortune est estimée à environ 25 000 millions de dollars!

Le tableau électronique indique le montant de la dernière enchère, exprimée en cinq monnaies étrangères.

Jetons de jeu actuels

ADJUGÉ, VENDU!

On peut dépenser beaucoup d'argent dans les salles des ventes, parfois plus que ce que l'on avait prévu. Sur cette photo, l'enchère inscrite au tableau a atteint 97 260 dollars, soit environ 600 000 francs.

FOLIES À MONTE-CARLO

Ceux qui aiment jouer de l'argent ont plaisir à risquer leur fortune aux jeux de hasard. Même s'ils perdent, ils continuent de rêver qu'ils pourront un jour gagner. Monte-Carlo, un quartier de la principauté de Monaco, est sans doute l'endroit le plus prisé des joueurs les plus fortunés. Ce jeton était en usage dans les années 1930.

Sur un coup de dés, on peut gagner ou perdre une fortune.

Aux cartes, la complicité d'un habile comparse est un «atout» déloyal.

DES VINS FINS?

Acquérir des vins vieux est aussi un jeu, mais auquel peu de gens se risquent. Le vin de Château-Lafite est renommé, et cette bouteille de 1902 pourrait atteindre près de 35 000 francs dans une vente aux enchères. Mais son acquéreur ne la débouchera sans doute pas, car un vin aussi vieux a de grandes chances d'être parfaitement imbuvable. Le plaisir des collectionneurs se limite donc souvent à regarder le vin plutôt qu'à le boire.

MIS EN BOUTEILLES AU CHÂTEAU

CHATEAU LAFITE-ROTHSCHILD
1902

APPELLATION PAUILLAC CONTRÔLÉE

LE DOLLAR ÉTEND SA DOMINATION

Le système monétaire des États-Unis d'Amérique est fondé sur le dollar, divisé en cents. Pièces et billets ont été introduits en Amérique du Nord par les premiers colons européens.

L'Angleterre n'ayant émis aucune monnaie pour ses propres colons, ceux-ci utilisaient le tabac, des ceintures de perles de coquillages (pp. 8-9) et des pièces espagnoles qu'ils appelaient «dollars» (pièces de 8 réaux). Ils frappèrent également leur propre papier-monnaie, les *bills*. Le premier dollar américain, le *Continental Currency Bill*, fut, à partir de 1775, avant la déclaration d'Indépendance du 4 juillet 1776, un billet, et après 1794 une pièce en argent. Aujourd'hui, le dollar américain, de nouveau en papier, est la plus importante unité monétaire au monde.

L'aigle américain

MONNAIE COLONIALE
Ne disposant pas de monnaie, les colons britanniques utilisèrent des perles, du tabac et fabriquèrent leurs propres pièces et billets. Ils étaient libellés en livres, shillings et pence, tels ces shillings du Massachusetts frappés en 1652 ou ce billet de 4 pence émis en 1755 en Pennsylvanie.

PREMIÈRES MONNAIES DES ÉTATS-UNIS
En 1793, les Etats-Unis ont commencé à émettre régulièrement un numéraire fondé sur le dollar : le cent, en cuivre (à droite) fut suivi en 1794 du dollar en argent (au centre) puis de la pièce d'or de 10 dollars, appelée *Eagle*, en 1795 (à gauche). Le cent a adopté la taille du demi-penny britannique, et le dollar celle de la pièce espagnole de 8 réaux.

Sur cet essai monétaire en étain les treize premiers Etats unis contre l'Angleterre sont représentés par la chaîne de treize anneaux.

PREMIÈRES ÉMISSIONS
Rompant avec la Grande-Bretagne, les colonies financèrent leur guerre d'Indépendance en émettant des billets libellés en dollars, comme celui-ci, émis par le Congrès. Il avait été prévu de frapper un dollar en argent, mais il ne vit pas le jour.

PRÉCIEUX TABAC
Les feuilles de tabac liées en bottes étaient utilisées tout à fait officiellement comme monnaie aux XVIIᵉ et XVIIIᵉ siècles en Virginie et au Maryland.

QUI OSERAIT ENTRER?
La réserve d'or des Etats-Unis est déposée depuis 1938 à Fort Knox, dans le Kentucky. Il est stocké dans des caves de béton et d'acier, dans un bâtiment à l'épreuve des bombes, et protégé par des gardes armés de mitraillettes.

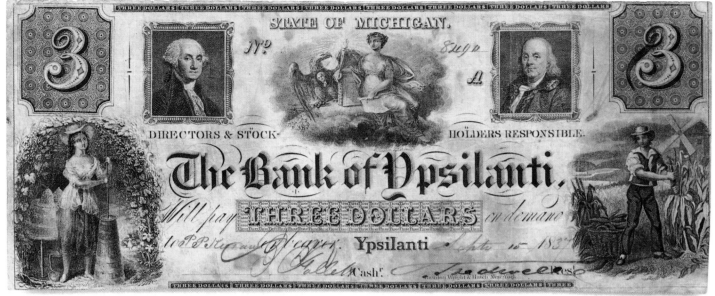

UN FAMEUX BILLET

Au XIXᵉ siècle, la majeure partie de la monnaie utilisée se présentait sous forme de billets. Celui-ci, de 3 dollars, a été émis en 1837 par une banque de Ypsilanti, au Michigan.

DISTRIBUTION DE NOURRITURE

Après la crise de 1929, le cours du dollar s'effondra. A la fin de l'année 1931, 4 000 banques avaient fermé leurs portes. Le chômage était tel que beaucoup de gens devaient recourir aux œuvres de charité : de longues files d'attente se formaient ainsi devant des points de distribution régulière de vivres.

LA RUÉE VERS L'OR

Après la découverte de l'or en Californie, en 1848, la poudre et les pépites furent utilisées comme monnaie dans les camps des mineurs. Transféré à San Francisco, centre de la zone aurifère, cet or était alors transformé en pièces. Celle-ci, de 50 dollars, fut émise en 1852.

Monnaie actuelle

EFFIGIES PRÉSIDENTIELLES

Sur les plus récentes pièces américaines figurent les portraits des présidents des Etats-Unis : Eisenhower sur le dollar (à droite), Kennedy sur le demi-dollar, Washington sur le quart de dollar, Franklin Roosevelt sur le 10 cents, Jefferson sur le 5 cents et Lincoln sur le cent.

BICENTENAIRE

En 1976, des pièces commémoratives ont été mises en circulation pour célébrer le deux centième anniversaire de l'indépendance des Etats-Unis.

LAS VEGAS

Les pièces de 1 dollar restent de mise dans les casinos de Las Vegas et d'Atlantic City, et sont encore utilisées par les joueurs de machines à sous.

DOLLARS AU REBUT

En 1979, une pièce portant le buste du leader féministe Susan B. Anthony remplaça le billet de 1 dollar. Mal accueilli, il fut aussitôt retiré de la circulation. 441 millions de ces pièces dorment aujourd'hui dans les stocks.

25 c   10 c   5 c   1 c

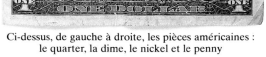

Ci-dessus, de gauche à droite, les pièces américaines : le quarter, la dime, le nickel et le penny

LE FRANC DATE DU MOYEN ÂGE

En France, la plus ancienne pièce connue est en argent et fut frappée à Massalia (Marseille), il y a environ 2 500 ans, par les Grecs. Depuis le IIe siècle av. J.-C., les Gaulois frappaient des monnaies imitées des pièces grecques, mais lorsque les Romains conquirent la Gaule, ils importèrent les leurs. Celles-ci restèrent en usage jusqu'à ce que les rois francs introduisent les deniers d'argent, première monnaie véritablement française. Le franc fut tout d'abord une pièce en or, émise en 1360, puis en argent à partir de 1577 mais, depuis cette date, sa valeur a changé à plusieurs reprises, que ce soit à la suite de guerres ou de révolutions. C'est la loi du 17 germinal an XI (7 avril 1803) qui a institué le franc, divisé en centimes. Depuis, l'unité monétaire française a subi de nombreuses fluctuations, et la dernière d'entre elles a été suivie en 1960 de la création du «nouveau» franc, valant cent anciens francs.

La déesse grecque Artémis (p.10)

ÉVÊQUE ET ORFÈVRE
Saint Eloi, patron des orfèvres et des métallurgistes, travailla à la Monnaie de Paris pour les rois mérovingiens au cours du VIIe siècle. Sur ce vitrail, on le voit muni des outils de frappe traditionnellement utilisés pour la fabrication des pièces.

PIÈCES CELTES
Sur cette pièce en or (100 av. J.-C.), le portrait d'Apollon est repris d'une pièce grecque.

Le revers

MONNAIES GRECQUES EN ARGENT
Au cours du Ve siècle av. J.-C., la colonie grecque de Marseille frappait de petites monnaies d'argent portant divers dessins dont cette tête de bélier sur la petite pièce du haut. Vers 350 av. J.-C., ces pièces d'argent étaient couramment utilisées par les populations celtes de Gaule et d'Italie du Nord.

Proue d'une galère romaine

L'avers

GUERRIER CELTE
Sur l'avers et le revers de cette pièce d'argent de la République romaine figurent le portrait d'un chef gaulois et son char de guerre. Elle a été émise vers 48 av. J.-C., peu après la conquête de la Gaule par Jules César.

LETTRES IMPÉRIALES
Les lettres «CIV», désignent la *Colonia Julia Viennensis*, la «colonie de Jules César à Vienne», où cette pièce fut frappée vers 36 av. J.-C.

Se considérant comme le centre de l'univers, Louis XIV a choisi le soleil comme emblème.

LE «GROS» SUCCÈDE AU DENIER
Le denier avait été introduit par Pépin le Bref, premier roi de France; son fils Charlemagne (742-814) émit celui de gauche. Ce fut la seule pièce de monnaie utilisée dans tout le royaume de France jusqu'à la création du «gros» d'argent (à droite) sous Louis IX, en 1266.

LE BEL ET LA BELLE
Philippe IV, qui régna de 1285 à 1314, était surnommé le Bel. Cette superbe pièce d'or mériterait le même surnom! Cependant, durant son règne, les monnaies d'or étaient rares.

«LUD» est l'abréviation de Ludovicus, *forme latine de Louis.*

L'ÉCU D'ARGENT
Le portrait des rois de France apparut sur les pièces sous Louis XII (1462-1515) mais, sur cet écu, à gauche, il s'agit de Louis XIV, le Roi-Soleil. Aujourd'hui, la Communauté économique européenne a baptisé sa monnaie «ECU», ce qui signifie «European Currency Unit» (Unité de compte européenne).

Loi du 23 Mai 1793. | **Série 621** | **L'An 2.me de la République.**

Domaines nationaux.
Assignat
de cinquante sols,
payable au porteur.

Saussay

LA LOI PUNIT DE MORT LE CONTREFACTEUR.

LA NATION RÉCOMPENSE LE DÉNONCIATEUR.

DROITS DE L'HOMME

50 S

Le «sol» est l'ancienne forme du mot «sou».

MONNAIE DE LA RÉVOLUTION
De 1790 à 1793, la Révolution française vit l'émission de papier-monnaie, plus connu sous le nom d'assignat. Des pièces furent encore frappées aux mêmes dénominations que les espèces pré-révolutionnaires, mais avec de nouveaux dessins reflétant bien l'évolution politique. Le franc devint la principale unité monétaire en 1795.

Ecu de 6 livres, sous Louis XVI, frappé en 1792, un an avant son exécution.

Sur cette pièce de 5 francs, qui date de 1795, les représentations d'Hercule, de la Liberté et de l'Egalité ont remplacé le portrait du roi.

Première République, 1792-1804

Deuxième République, 1848-1852

Le portrait de Napoléon Bonaparte apparaît sur les pièces en 1802, lorsqu'il fut nommé Premier consul de la République, deux ans avant son couronnement.

Troisième République, 1871-1940

CINQ MARIANNES
Depuis 1793, la République française, surnommée Marianne, est souvent représentée par le portrait d'une femme portant soit le bonnet phrygien soit une couronne. Chacun de ces portraits correspond à l'une des cinq républiques.

RÉDUITS EN CENDRES
Trop abondamment émis, les assignats se déprécièrent : en 1796, les presses à assignats furent détruites et les billets brûlés.

Quatrième République, 1945-1958

Cinquième République, de 1958 à nos jours

Monnaie actuelle

500 BANQVE DE FRANCE 500

Filigrane

BILLETS DE NÉCESSITÉ
Pendant la Première Guerre mondiale et quelques années après, des espèces de petite valeur, dites «de nécessité», furent mises en circulation, notamment ce billet de 50 centimes émis à Grenoble.

CHAMBRE DE COMMERCE DE GRENOBLE
DÉLIBÉRATION DU 8 NOVEMBRE 1917
50 CENTIMES
CETTE COUPURE, ÉCHANGEABLE CONTRE DES BILLETS DE LA BANQUE DE FRANCE, DEVRA ÊTRE PRÉSENTÉE AU REMBOURSEMENT AVANT LE 9 NOVEMBRE 1922 SAUF DÉCISION PROROGEANT CE DÉLAI

CÉLÉBRATIONS
Des pièces commémoratives sont mises en circulation chaque année. En 1988, cette pièce de 1 franc a célébré le trentième anniversaire de la création de la cinquième République par Charles de Gaulle.

10 F   5 F   2 F

1 F   50 c

20 c   10 c   5 c

BANQUE de FRANCE 20
VINGT FRANCS   D.008

LE MARK EST ALLEMAND D'EST EN OUEST

Désignant initialement une unité de poids, le mark devint en 1871 l'unité monétaire de l'Empire allemand créé par Guillaume Ier, roi de Prusse. Les principales monnaies en usage étaient alors le thaler, le gulden et le ducat. Le pfennig, quant à lui, existait depuis le XIe siècle et désigna d'abord les pièces allemandes en argent. Avant la création de l'Empire, les villes, États ou royaumes allemands possédaient chacun leur propre système monétaire, et des systèmes analogues existaient en Pologne, en Tchécoslovaquie, en Autriche et en Suisse. Le mark, divisé en cent pfennige, est l'unité monétaire des deux Allemagnes : le deutsche Mark en République fédérale d'Allemagne, à l'ouest, et le mark en République démocratique allemande, à l'est.

Cette gravure du XIVe siècle représente le directeur d'un atelier monétaire pesant ses pièces.

L'OR DES ROMAINS
Cette grosse pièce d'or fut frappée dans l'atelier monétaire de Trèves pour payer les soldats qui servaient sous les ordres de l'empereur Constantin Ier. Britannia est agenouillée devant l'empereur couronné d'une Victoire ailée, divinité romaine.

Conrad II, roi de Saxe (1024-1039)

Pièce frappée en Rhénanie-Palatinat et portant l'effigie de saint Jean-Baptiste

Cette estampe suisse du XVe siècle représente des monnayeurs frappant de petits pfennig d'argent.

Pièce à l'effigie de saint Pierre, frappée à Trèves

PFENNIGE D'ARGENT
Les premiers pfennige, comme celui du haut, reproduisaient des dessins d'origine française ou anglaise. Ce n'est qu'au XIIe siècle qu'apparurent des dessins plus typiquement allemands, sur des pièces plus larges et plus fines. La pièce, à gauche, fut frappée par l'empereur Frédéric Ier Barberousse (1152-1190) et celle de droite par Otton Ier de Brandebourg (1157-1184).

Pièce «à la vierge Marie», émise à Bâle

GULDEN D'OR
Les pièces d'or ne furent émises en quantité qu'au XIVe siècle. Elles étaient de la même taille que les florins italiens (p. 36).

Thaler du comte Stephen de Slick, 1519

Thaler de Johan Wilhelm, duc de Saxe, 1569

Le bras de Dieu couronne le cheval.

FRÉDÉRIC LE GRAND DE PRUSSE
Frédéric, le roi philosophe (1740-1786), réorganisa le système monétaire, désormais fondé sur le thaler et le pfennig. Cette pièce d'or, frappée à Berlin en 1750, valait 10 thalers.

THALERS D'ARGENT
La découverte, au XVe siècle, d'importantes mines d'argent à Joachimstal, en Bohême (l'Autriche actuelle), permit la frappe de nouvelles pièces d'argent de grande taille appelées *Joachimsthalers*, soit *thalers* en abrégé – le mot «dollar» en est d'ailleurs la traduction anglaise. L'argent de ces mines fut exporté à travers toute l'Europe de l'Ouest.

Le cheval, symbole du Lunebourg, est représenté bondissant au-dessus des mines d'argent du duché.

Pièce de 4 thalers de Christian Ludwig, duc de Brunswick-Lunebourg, 1662

REICHSKASSENSCHEIN

GESETZ VOM 30. APRIL 1874.

FÜNF MARK.

BERLIN, DEN 31. OKTOBER 1904.
REICHSSCHULDENVERWALTUNG

BILLET DE L'UNITÉ
Lorsque Guillaume Ier de Prusse devint empereur d'Allemagne en 1871, le système monétaire allemand fut unifié autour d'une nouvelle monnaie, le mark. Le cours du traditionnel thaler fut alors fixé à 5 marks.

Pièces en fer

UNE MONTAGNE D'ARGENT
En 1923, le système monétaire allemand s'effondra et les billets perdirent toute valeur, à tel point que l'on pouvait sans regret en tapisser ses murs ou les donner aux enfants pour leurs jeux.

10

57542

10 · 10 · Zehn-Pfennig
Gutschein der Stadt Wetzlar

MONNAIE LOCALE
Pendant et après la Première Guerre mondiale, des petites pièces métalliques et des billets furent émis localement.

LES ZÉROS EN FOLIE
Après la Première Guerre mondiale, l'inflation était telle qu'il fallait de plus en plus de marks pour faire ses achats. Les banques mirent alors en circulation des billets à forte valeur nominale, comme cette coupure de 200 millions de marks, de 1923, qui ne permettait d'acheter que deux timbres postaux!

200.000.000

Die Stadt
gemeinde Köln
haftet für die
Einlösung.
Köln 14.Septb.1923
Der Oberbürgerm.
Adenauer

Gutschein der Stadt Köln
Zweihundert Millionen Mark

REIHE A №401527

M. DUMONT SCHAUBERG KÖLN

TRAVAIL ET PRODUCTION
Les deux Allemagnes, celle de l'Est et celle de l'Ouest, utilisent des monnaies différentes depuis 1949. Le revers des pièces est-allemandes représente le travail et l'agriculture : celle-ci, de 10 pfennige, porte une roue dentée, symbole de l'industrie, et un épi de blé pour l'agriculture.

DEUTSCHLAND
10 PFENNIG

1949

Le revers représente deux symboles de la production.

Monnaie actuelle

10 pfg   50 pfg   1 DM   2 DM   5 DM

BELGIQUE ET PAYS-BAS : CIRCULATION INTENSE

Introduit par les Celtes au IIᵉ siècle av. J.-C., le monnayage se développa ensuite dans les provinces et les villes de Belgique et des Pays-Bas sous diverses influences. À partir du XIIIᵉ siècle, ces deux pays devinrent la plaque tournante du commerce international et de nombreuses pièces étrangères y circulaient. Les unités monétaires actuelles ont été fixées lorsque ces royaumes devinrent indépendants. En 1815, les Provinces-Unies – qui englobaient alors la Belgique – utilisaient l'ancien gulden, mais celui-ci fut réorganisé et divisé en 100 cents lors de l'application du système décimal. La France ayant administré ces provinces durant les guerres napoléoniennes, la Belgique adopta le franc lorsqu'en 1830 elle se sépara des Pays-Bas qui, eux, conservèrent le gulden.

Détail du *Changeur et sa femme*, peint par le Flamand Quentin Matsys (XVIᵉ siècle)

ORIGINE CELTE
Ce spécimen des premières pièces belges fut frappé par une tribu celte, les Nerviens. Des pièces de ce type ont aussi été découvertes aux Pays-Bas.

PIÈCE ROYALE
Le nom de l'atelier monétaire de Duurstede, appelé «Dorestat», apparaît sur cette pièce d'or mérovingienne.

Lion d'or de Philippe le Bon, duc de Bourgogne (1419-1467)

Ducat d'or de Rodolphe, évêque d'Utrecht (1423-1455)

Gros d'argent d'Adolphe, évêque de Liège (1313-1344)

MONNAIES LOCALES
Du XIᵉ au XVIᵉ siècle, de nombreuses pièces d'or et d'argent locales furent frappées en Belgique et aux Pays-Bas. Les émissions les plus importantes sont dues aux ducs de Bourgogne, mais des autorités religieuses locales, des seigneurs et des villes fabriquèrent aussi leurs propres monnaies.

MONNAIE DE SIÈGE
Ces pièces sont des monnaies de nécessité émises, à partir de 1568, par des villes prenant part à la révolte des Provinces-Unies contre les autorités espagnoles.

Monnaie de carton émise lors du siège de Leiden par les armées espagnoles (1574)

En 1573, Guillaume, prince d'Orange, fit contremarquer les pièces espagnoles du lion de Hollande.

Ce faisceau de flèches est le symbole des Provinces-Unies.

Monnaie d'argent émise par le gouverneur espagnol d'Amsterdam peu de temps avant qu'elle ne soit attaquée par les Hollandais (1578)

ESPAGNOLS OU LIBRES?
L'atelier monétaire du duché de Gelderland frappa ces deux types de pièces. Celle de gauche fut émise par le roi espagnol Philippe II, en 1560, celle de droite fut frappée au nom des Provinces-Unies, en 1616, par le Gelderland indépendant.

LE COMTE DE LEICESTER
Agissant au nom d'Elisabeth Iʳᵉ, reine d'Angleterre, le comte anglais de Leicester soutint la révolte des Hollandais contre les Espagnols. En 1586, il tenta de réorganiser le système monétaire hollandais.

LE PORT D'AMSTERDAM
Pendant le XVIᵉ siècle, Amsterdam était l'une des places de commerce les plus actives du monde, et demeure aujourd'hui un port important. La ville est sillonnée de 40 canaux qui sont traversés par environ 400 ponts.

DOUBLE SOUVERAINETÉ
En 1598, Philippe II d'Espagne céda ses possessions de Hollande et des Pays-Bas à sa fille Isabelle et à son gendre, l'archiduc Albert d'Autriche. Cette pièce d'or a été frappée à la Monnaie de Bruxelles en 1618.

Isabelle et son mari, l'archiduc Albert d'Autriche

Cette pièce hollandaise, ou daalder, a été reproduite d'après une pièce mexicaine de 8 réaux.

COMMERCE ET EMPIRE
L'Empire néerlandais établi au cours du XVIIᵉ siècle émit des variétés particulières de pièces : ce daalder d'argent fut frappé à Amsterdam en 1601 pour les besoins du commerce avec l'Asie du Sud-Est; la barre de cuivre fut fabriquée en 1785 à Ceylan; le billet fut émis en 1920 dans les Indes néerlandaises.

UNE GRANDE VOIE
Le Congo est un long fleuve (4460 km) qui traverse le Zaïre jusqu'à l'océan Atlantique.

Pièce à légende française

Pièce à légende flamande

MONNAIES BILINGUES
Possédant deux langues officielles, le français et le flamand, la Belgique dispose aujourd'hui de deux monnaies distinctes. Mais jadis une légende dans les deux langues figurait sur la même pièce.

UN FRANC DU CONGO
En 1885, le roi des Belges reçut le gouvernement d'une partie de l'Afrique centrale, qui fut alors nommée Congo belge (aujourd'hui Zaïre). Cette pièce de 1 franc en cupronickel (1922) fut frappée à Bruxelles pour le Congo belge.

MONNAIE DU SIÈGE D'ANVERS
Pendant les guerres napoléoniennes, la Belgique et les Pays-Bas étaient gouvernés par la France. Cette pièce fut frappée par les partisans de Napoléon, assiégés dans Anvers en 1814. Le «N» qui y figure est l'emblème de l'empereur.

Léopold Iᵉʳ de Belgique

Guillaume III de Hollande

MONNAIES ROYALES EN OR
Après la défaite de Napoléon, en 1814, Belgique et Hollande furent à nouveau réunies en un royaume des Pays-Bas. En 1830, la Belgique redevint indépendante. Les deux royaumes émirent des pièces aux effigies de leurs souverains.

MONNAIE DE GUERRE BELGE
Pendant la Première Guerre mondiale, on utilisa dans la zone occupée des billets spéciaux dits «de nécessité». A la fin de la guerre, leurs détenteurs eurent trois mois pour les changer contre des billets de la Banque nationale de Belgique. Ce billet de 1 franc fut émis en 1917.

Monnaie actuelle des Pays-Bas

5 gld   1 gld   25 ct   5 ct

Monnaie actuelle de Belgique

(Reproduit grâce à l'autorisation écrite de la Banque nationale de Belgique)

Points en relief permettant aux aveugles d'identifier les billets

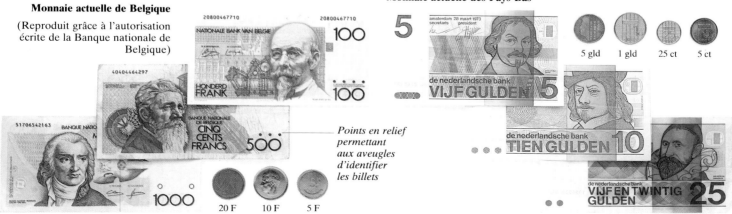

LES ITALIENS ONT D'ABORD COPIÉ LES GRECS

C'est au milieu du XIXᵉ siècle, lorsque Victor-Emmanuel II accéda au trône, que la lire fut adoptée comme unité monétaire. Le mot *lira*, qui vient du latin *libra*, désignait l'unité de poids fixant la valeur des premières monnaies romaines de cuivre, apparues seulement au cours du IIIᵉ siècle av. J.-C., plus de deux siècles après celles des cités grecques du sud de l'Italie et de la Sicile. Ces monnaies étaient des copies de pièces grecques ou des pièces de cuivre portant des symboles grecs (pp. 10-11). Bien plus tard, les riches cités italiennes, comme Amalfi, Pavie, Gênes, Venise ou Florence, émirent des ducats d'or qui furent utilisés et imités aussi bien en Europe que dans les pays de l'est de la Méditerranée.

Sous le règne d'Auguste, les soldats de l'armée romaine étaient payés 225 deniers par an.

MONNAIE PRÉCOCE
La plupart des colonies grecques de l'Italie du Sud émirent des pièces dès le VIᵉ siècle av. J.-C. Celle-ci fut frappée à Tarente au IVᵉ siècle av. J.-C.

Le chiffre romain «I» indiquait que cette pièce représentait une livre (libra) de cuivre.

Le chiffre romain «X» indiquait que ce denier d'argent valait 10 pièces de cuivre d'une livre.

CUIVRE AU POIDS
Des blocs de cuivre, pesés avant les paiements, servaient de monnaie aux premiers Romains. Puis, au cours du IIIᵉ siècle av. J.-C., ils furent remplacés par des pièces de cuivre (à gauche) coulées et ornées de dessins. La pièce d'argent (*denarius*), représentant la déesse Roma, date de la même époque.

Denier d'argent de Jules César, 44 av. J.-C.

Aureus d'Auguste, 27 av. J.-C.-14 apr. J.-C.

Sesterce de bronze de Néron, 54-68 apr. J.-C.

EFFIGIES IMPÉRIALES
Les empereurs romains faisaient figurer leur portrait sur les pièces d'or, d'argent et de bronze pour se faire connaître de leurs sujets et pour rappeler leur nom, leurs exploits et leurs titres. A cette époque, il n'y avait ni journaux ni télévision!

MONNAIE BARBARE
Cette pièce de bronze, frappée au VIᵉ siècle par les Ostrogoths qui avaient conquis Rome, représente les deux fondateurs de la ville, Romulus et Remus, et la louve qui les avait élevés.

CIRQUE ANTIQUE
Le plus célèbre monument de l'Empire romain, le Colisée, figure sur les pièces de l'année 80 apr. J.-C. qui le représentent en entier. C'était ici que se déroulaient les jeux du cirque, où des gladiateurs et des animaux se battaient jusqu'à la mort devant des empereurs et une population assoiffés de sang.

ARABES ET NORMANDS
Sur cette pièce d'or, émise par les souverains arabes de Sicile, on distingue le tracé enchevêtré de lettres arabes. La pièce de cuivre fut frappée par les seigneurs normands de Naples qui obtinrent le contrôle de l'Italie du Sud contre les Arabes à la fin du XIᵉ siècle.

Pièce vénitienne de 20 ducats

DUCAT ET FLORIN
Au cours du XIIIᵉ siècle, Venise et Florence commencèrent à émettre des pièces d'or : les ducats, ou sequins pour la première, les florins pour la seconde. La grosse pièce, à gauche, est une monnaie de 20 ducats; la plus petite est un florin. Les premières pièces allemandes en or furent imitées de ces florins (p. 32).

PRINCE ET PAPE

A la fin du XVe siècle, à l'instar de la monnaie romaine, apparurent en Italie des pièces sur lesquelles figuraient les portraits des seigneurs : de Cosme de Médicis de Florence (1519-1574), sur cette pièce d'argent, et le pape Léon X de Médicis (1513-1521) sur la pièce d'or. Famille de marchands et de banquiers, les Médicis jouissaient d'une grande influence à Florence.

Monnaie autrichienne

Monnaie espagnole

Monnaie de Sardaigne

LA LUTTE POUR LE POUVOIR

Ces trois pièces représentaient les trois principales factions qui luttaient pour le contrôle de l'Italie durant le XVIIIe siècle : pièce de cuivre de l'Empire autrichien, à l'effigie de Marie-Thérèse (1740-1780); pièce d'or de Victor-Amédée de Savoie, roi de Sardaigne (1773-1796); pièce d'argent de Ferdinand IV, roi espagnol des Deux-Siciles (1759-1825).

«ASSIGNAT» ROMAIN

En 1798, la cité de Florence rejeta l'autorité du pape et se constitua en République romaine. S'inspirant de la République française, elle émit aussi des «assignats» (p. 31).

NOUVEAU BILLET

La lire fut adoptée comme monnaie nationale en 1861, lorsque Victor-Emmanuel II devint roi d'Italie. Ce billet de 30 lires fut émis en 1884 par une banque de Cagliari, en Sardaigne.

An VII de la République créée par les Français

BANQUIERS ITALIENS

C'est dans le nord de l'Italie, et en particulier en Lombardie, que fut inauguré, au XIVe siècle, le système bancaire. Ce furent les débuts de la banque commerciale moderne telle que nous la connaissons de nos jours.

Monnaie actuelle

500 LIT   200 LIT

100 LIT   50 LIT

UN SUPPORT POLITIQUE

Cette pièce de 2 lires, datant de 1923 et émise par Victor-Emmanuel III, porte l'emblème fasciste (un faisceau et une hache). A titre de protestation, un antifasciste l'a surfrappée de l'emblème communiste : une faucille et un marteau.

MODESTES SUCCÉDANÉS

Dans les années 1970, une pénurie de pièces contraignit les commerçants à rendre la monnaie avec des jetons de téléphone et des bonbons.

TRÉSORS DE L'ESPAGNE ET DU PORTUGAL

En 1492, Christophe Colomb, parti à la recherche d'une route permettant de gagner l'Orient par l'ouest, découvrit l'Amérique. Six ans plus tard, Vasco de Gama ouvrit la route de l'Inde en contournant l'Afrique. Ces deux événements, qui ont modifié de fond en comble l'histoire de la monnaie, entraînèrent des émissions monétaires de type européen en Amérique, en Afrique et même en Asie, et drainèrent de grandes quantités d'or et d'argent. L'Espagne importa en Europe et en Asie des millions de pièces d'argent d'Amérique du Sud. Le Portugal fournit le continent européen en or africain, indien, chinois et brésilien. Introduite en 1869, la peseta espagnole tire son nom d'un terme populaire désignant une petite pièce d'argent. L'actuel escudo portugais date de 1915.

Les galions espagnols et portugais rentraient des Amériques avec des cales remplies d'or et d'argent.

Pièce grecque d'*Emporium*, 250 av. J.-C.

Pièce carthaginoise, Espagne, 210 av. J.-C.

Pièce des Celtes d'Espagne, 100 av. J.-C.

Pièce de l'établissement carthaginois de Salacia, au Portugal, 100 av. J.-C.

ATELIER ESPAGNOL
Les colons grecs ont introduit le monnayage en Espagne et au Portugal au IVe siècle av. J.-C. Leur principal atelier monétaire était *Emporium* (Ampurias), au nord-est de l'Espagne. Plus tard, des pièces carthaginoises, celtes et romaines y furent également frappées.

Pièce romaine en cuivre frappée en Espagne, à Saragosse, 20 apr. J.-C.

Pièce d'or arabe

Pièce d'or wisigothe

Pièce de Castille, imitant une pièce maure

L'OR DES MAURES
En 711, une armée mozarabe s'empara du royaume wisigoth d'Espagne et commença à frapper ses propres pièces. Les premières monnaies des rois catholiques d'Espagne et du Portugal, qui chassèrent les Maures d'Espagne au XVe siècle, reproduisaient les symboles islamiques sur ces monnaies arabes.

Pièce d'or portugaise

Cet aqueduc romain de Ségovie servit de marque à l'atelier monétaire de la ville.

Pièces d'argent de 8 réaux

Robinson Crusoé

NOUVEAUX MONDES
La recherche de l'or conduisit Christophe Colomb en Amérique et Vasco de Gama aux Indes. Ce métal précieux fut ensuite utilisé pour fabriquer des pièces, comme celle de Ferdinand et Isabelle d'Espagne (1479-1504), à gauche, et de Jean III du Portugal (1521-1557), à droite.

Doublon d'or

TRÉSOR CONVOITÉ
Les conquérants espagnols exploitèrent les riches sources aurifères et les mines d'argent qu'ils découvrirent au Mexique, en Bolivie et au Pérou. De fabrication grossière, ces pièces d'argent de 8 réaux et ces doublons d'or étaient embarqués sur des bateaux chargés de richesses en partance pour l'Europe, mais souvent victimes des pirates!

«Je tirais tout ce que j'avais pu sauver sur la plage. […] Je découvris trois grands sacs de pièces de 8 réaux […] et dans l'un d'entre eux, six doublons d'or.» (Daniel Defoe, 1719)

COMMERCE ET EXPORTATION
L'Empire portugais de l'océan Indien était fondé sur le commerce. La pièce d'étain (à gauche) fut émise en 1511 pour l'usage particulier du port de Malacca, en Malaisie. En 1693, de l'or fut découvert au Brésil, et transformé en pièces – comme cette monnaie portugaise (à droite) émise en 1725 à Rio de Janeiro – qui étaient ensuite exportées.

L'ENJEU DE COMBATS
Les conquistadores espagnols combattirent les peuples inca et aztèque d'Amérique pour s'emparer de leurs riches trésors d'or et d'argent.

Pièce de 50 réaux frappée à Ségovie avec de l'argent espagnol en provenance d'Amérique

Valeur «VIII» (huit) portée sur la pièce d'origine

DES HAUTS ET DES BAS
Un flot d'argent inonda l'Espagne, en fit le pays le plus riche d'Europe, mais fut gaspillé en guerres. Les prix s'envolèrent, les pièces de cuivre durent être réévaluées et, en 1652, le cours de cette pièce passa de 8 à 12 maravédis.

La valeur XII (douze) indique qu'elle a été réévaluée.

Joseph Napoléon

Ferdinand VII

Le duc de Wellington

À CHACUN SA MONNAIE
En 1808, Ferdinand VII, le prétendant légitime, et Joseph, frère de Napoléon, furent tous deux couronnés rois d'Espagne. Une armée britannique, conduite par le futur duc de Wellington, chassa l'usurpateur français. Chacun de ces rois avait frappé sa propre monnaie, et l'armée anglaise utilisa en plus son propre numéraire, dont les tokens, à l'effigie de Wellington.

BILLET DE GUERRE
Après les guerres napoléoniennes, la guerre civile se poursuivit au Portugal. Ce billet de 1805 fut réimprimé en 1828 par l'usurpateur Miguel Ier.

GUERRE CIVILE
Ce billet fut émis par le gouvernement républicain espagnol pendant la guerre civile (1936-1939). Les nouvelles pièces mises en circulation après cette date étaient à l'effigie du général Franco qui avait vaincu les forces républicaines.

«LIBERTÉ ET DÉMOCRATIE»
Les mots inscrits sur ces pièces portugaises célèbrent le rétablissement d'un gouvernement démocratique en 1974.

Monnaie actuelle d'Espagne

200 Ptas   100 Ptas   25 Ptas

Monnaie actuelle du Portugal

20 Esc   10 Esc   2,5 Esc

RICHE COMME CRÉSUS
Ce dicton rappelle la richesse de Crésus, roi de Lydie (560-547 av. J.-C.), à qui l'on attribue la frappe de cette pièce, l'une des premières pièces d'or au monde.

DRACHME ET LIRE ONT LA MÊME ORIGINE

Les pièces que nous connaissons aujourd'hui sont issues des toutes premières monnaies grecques, frappées en Turquie. Ce sont, en effet, les anciens Grecs qui donnèrent aux pièces leur forme ronde et les gravèrent sur les deux faces. Tous les gouvernements qui, depuis, se sont succédé en Grèce et en Turquie ont frappé leur propre monnaie, qu'ils soient grecs, perses, romains, byzantins, turcs, français, italiens, anglais, russes ou allemands. La drachme actuelle, qui tire son nom d'une ancienne monnaie grecque, n'existe que depuis 1831, date à laquelle la Grèce accède à l'indépendance. En Turquie, le nom de la lire, émise sous forme de papier-monnaie à partir de 1930, est la nouvelle appellation de la livre turque.

PORTRAITS ROYAUX
Sur ces deux pièces d'argent figurent deux rois grecs : en haut, Philippe II de Macédoine (359-336 av. J.-C.) sur son cheval et, à droite, Antiochos Iᵉʳ de Syrie (281-261 av. J.-C.).

L'Empire byzantin utilisait l'alphabet grec.

LE SANGLIER VOLANT
Le dessin et l'inscription de cette pièce d'argent indiquent qu'elle fut émise au Vᵉ siècle av. J.-C. par la cité de Ialysos, sur l'île de Rhodes.

MONNAIE D'OR BYZANTINE
L'empereur Alexis II (1180-1183) fit frapper des pièces comme celle-ci à Constantinople (aujourd'hui Istanbul) et à Thessalonique.

Pièce émise pour Marc Antoine avant la bataille d'Actium (31 av. J.-C.)

SOLIMAN LE MAGNIFIQUE
Soliman, le plus puissant de tous les sultans ottomans (1494-1566), a frappé cette pièce d'or (ci-dessous). Son règne fut marqué par son pouvoir militaire.

Guerrier assis tenant une tête coupée

MONNAIES ROMAINES
Les Romains émirent de nombreuses pièces dans les régions de leur empire correspondant aujourd'hui à la Grèce et à la Turquie. La pièce d'or fut frappée pour Marc Antoine. La grosse pièce de bronze est turque et célèbre l'empereur romain Caracalla.

LES CROISADES
La petite pièce d'argent (en haut) fut frappée par un croisé français qui gouvernait sous le nom de duc d'Athènes (1280-1287). Les pièces de cuivre étaient l'œuvre des forces rivales qui s'affrontaient pour la conquête de l'est de la Turquie. La pièce à la face de lion a été émise par les rois arméniens de Cilicie (1187-1218), et celle du guerrier (en bas) par le gouvernement turc de Mardin, dans l'est de la Turquie.

Aqche d'argent de Thessalonique (Salonique), 1574

Altin d'or (sequin) d'Istanbul, 1520

Emblème des sultans

MONNAIES DE SULTAN
Les sultans de la Turquie ottomane, qui dirigèrent simultanément la Grèce et la Turquie, émirent des pièces sans effigie, qui circulèrent de l'Algérie à l'Irak et de la Hongrie au Yémen. L'emblème qui figure sur cette grosse pièce d'argent et ce billet est la «signature» officielle des sultans.

Kurus d'argent (piastre) d'Istanbul, 1769

Billet en kurus (piastre) de la Banque impériale ottomane, 1877

Soldo vénitien de cuivre du XVIIIᵉ siècle

Le phénix, symbole de renaissance, provient d'un billet de banque grec.

Pièce d'Otton Iᵉʳ de Bavière

D'UNE DOMINATION À L'AUTRE

Corfou et les autres îles Ioniennes échappèrent longtemps à l'occupation de l'Empire ottoman de Turquie. Gouvernées de 1402 à 1797 par les Vénitiens, elles passèrent ensuite entre les mains de la France, de la Russie, de la Turquie, à nouveau de la France, jusqu'à ce que les Anglais en prennent le contrôle, en 1815. Elles réintégrèrent à nouveau la Grèce en 1863.

Gazetta russe de cuivre, 1801

MONNAIE RÉPUBLICAINE

En 1828, la Grèce, «mère de la démocratie», acheva de se libérer du joug turc. Les premières pièces, comme celle-ci, en cuivre, de 10 lepta, ont été frappées par la République grecque. En 1831, la Grèce devint un royaume dirigé par Otton Iᵉʳ de Bavière, dont le portrait apparaît sur cette pièce d'or de 20 drachmes.

Pièce de la République grecque

LA VOGUE DU CRICKET

Pendant l'occupation de Corfou, les troupes britanniques installèrent un terrain de cricket dans la ville. Aujourd'hui, ce jeu y est encore pratiqué mais, cette fois, par les Grecs.

Obole anglaise de cuivre, 1819

Billet de 1 drachme de la Banque nationale de Grèce, 1885

MONNAIES DES ÎLES

L'île grecque de Thasos resta sous la domination turque jusqu'en 1914. Cette pièce turque de 40 para porte une contremarque apposée en 1893 par la communauté grecque de Thasos.

NOUVELLES PIÈCES, VIEUX DESSINS

La seconde République grecque (1925-1935) reproduisit sur ses nouvelles pièces des dessins provenant de monnaies grecques anciennes. Celui figurant sur cette pièce de 2 drachmes représente Athéna, imitation d'une pièce antique de Corinthe.

Monnaie actuelle de Grèce

50 dr

20 dr

5 dr

1 dr

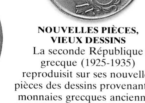

ATATÜRK VICTORIEUX

En 1923, le gouvernement ottoman s'effondra, laissant la place à une république gouvernée par Kemal Atatürk. Son portrait apparaît sur cette pièce de 100 kurus (1 lire) frappée en 1934.

Monnaie actuelle de Turquie

100 L   50 L   10 L   1 L

EN TEMPS DE GUERRE

Pendant la Seconde Guerre mondiale, il fut procédé à de nombreuses émissions locales de billets; celui-ci, de 5 000 drachmes, provient de Zagora.

Monnaie du roi Knud le Grand (1018-1035) frappée dans son atelier monétaire de Lund

Penny norvégien du roi viking Olaf Kyrre (1067-1093)

PENNIES D'ARGENT
Les premières pièces d'argent norvégiennes et danoises étaient des imitations de pièces anglaises. Un spécimen norvégien a même été trouvé dans un établissement viking implanté en Amérique du Nord.

LE GOÛT DU POUVOIR
Selon la légende, le roi Knud d'Angleterre, de Danemark et de Norvège tenta de prouver son pouvoir en intimant l'ordre à la marée de s'arrêter, mais il échoua. Il fit frapper des pennies de style anglais, utilisés dans ses royaumes.

La lettre «C» est l'initiale de Christian V, le roi qui fit frapper ces pièces carrées.

LE DANEMARK ET LA NORVÈGE SUIVENT LA MÊME VOIE

À l'époque carolingienne, les Vikings avaient introduit au Danemark et en Norvège des pièces françaises, allemandes, anglaises ou islamiques provenant de butins ou d'échanges commerciaux. Mais au cours des Xe et XIe siècles, les souverains danois et norvégiens frappèrent leurs propres monnaies, inspirées des pièces anglaises de un penny en argent. Depuis 1873, le Danemark et la Norvège ont, avec la Suède (pp. 44-45), un système monétaire commun dont l'unité est la krone (couronne), divisée en cent øre. La krone fut d'abord une pièce d'argent émise par les rois de Danemark et de Norvège aux XVIIe et XVIIIe siècles, mais l'øre est d'origine suédoise.

UN ROI POUR DEUX
Roi à la fois de Danemark et de Norvège, Christian IV (1588-1648) émit des monnaies différentes pour chaque royaume. La pièce d'argent de gauche est danoise et celle de droite norvégienne.

CADEAU ROYAL
Les pièces carrées, dites «klippe», furent émises au Danemark aux XVIe et XVIIe siècles. Plus faciles à fabriquer que les rondes, elles furent d'abord, en temps de guerre, une monnaie de nécessité. Celles-ci, en revanche, ont été spécialement fabriquées pour le roi qui les distribuait gracieusement.

Les piliers et les globes sont copiés d'une pièce espagnole de 8 réaux.

Les Lapons, éleveurs de rennes, effectuaient leurs paiements en fourrures.

PIÈCES DE COMMERCE
Cette pièce d'argent, émise en 1777 à l'intention de la société asiatique du Danemark, avait cours en Chine. Le dessin de la petite pièce représente Christiansborg, une colonie danoise de l'Afrique de l'Ouest, d'où venait l'or avec lequel elle était fabriquée.

Bateau de guerre viking

MARKS ET SKILLINGS
Au XVIIIe siècle, le système monétaire danois et norvégien était basé sur le mark, divisé en 16 skillings. La krone d'argent de 1723 valait 4 marks, ou 64 skillings (à droite).

Le symbole du lion à la hache figurait sur les pièces norvégiennes.

DALERS D'ARGENT ET DE PAPIER

En 1813, le gouvernement danois introduisit le daler de 96 skillings, qui resta en usage en Norvège même après son rattachement au royaume de Suède en 1814. Ce billet d'un daler fut émis à Christiania (l'ancien nom d'Oslo) par la Banque royale du Danemark. Le daler d'argent n'a été frappé qu'en 1823.

MONNAIE SCANDINAVE

L'année 1873 voit l'instauration d'un système monétaire commun au Danemark, à la Norvège et à la Suède, mais les motifs figurant sur les pièces et les billets sont différents selon chaque pays. Voici des pièces de 20 kroner et de 5 øre du Danemark (en haut) et de Norvège (en bas).

MATÉRIAUX INHABITUELS

Pendant la Seconde Guerre mondiale, le cuivre, réquisitionné pour la production d'obus, fut remplacé par d'autres métaux dans la fabrication des pièces. La Norvège émit des monnaies de fer (à gauche) et le Danemark des monnaies d'aluminium (à droite) et de zinc.

Dauphin et céréale, symboles de la pêche et de l'agriculture

BILLETS EN COURONNES

Pendant la Première Guerre mondiale, et quelques années après encore, on procéda à des émissions locales de billets de nécessité, comme celui-ci, mis en circulation par la Banque de crédit d'Odense.

Monnaie actuelle du Danemark

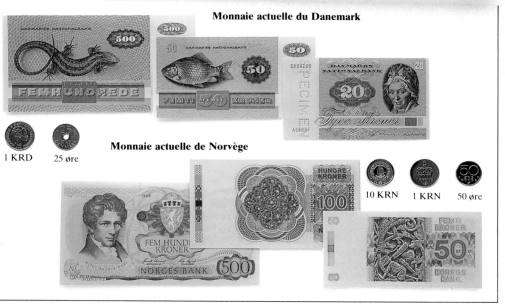

Monnaie actuelle de Norvège

MARKKA ET KRONA, DU CÔTÉ DE LA BALTIQUE

Si la Suède fut le premier pays européen à émettre du papier-monnaie, c'est elle aussi qui frappa les monnaies les plus lourdes du monde – des monnaies-plaques de cuivre –, pesant jusqu'à dix-neuf kilos ! Aujourd'hui, l'unité monétaire est la krona (couronne) divisée en 100 öre. D'abord sous domination suédoise, la Finlande eut la même monnaie que la Suède jusqu'en 1809, date à laquelle elle fut annexée par l'Empire russe. Sa monnaie fut alors le rouble et le kopeck.

IMITATION SUÉDOISE
Cette pièce (à gauche) est la copie d'une pièce islamique. Le penny (à droite) est l'œuvre de monnayeurs anglais de passage.

Le markka (mark finlandais) et le penniä actuels ont également été introduits par les Russes, en 1864.

UN SEUL CÔTÉ
Au XIIIᵉ siècle furent émis des pennies d'argent unifaces. Le «M» est l'emblème du roi Magnus de Suède ; le «A» est l'initiale de Abo, ancien nom de la cité finlandaise de Turku.

DALERS, DUCATS ET ÖRE
En 1534, Gustave Iᵉʳ Vasa (1523-1560) créa le premier daler d'argent suédois (à gauche), utilisé aussi en Finlande, qui faisait alors partie de son royaume. Gustave II Adolphe (1611-1632) fit frapper les premières pièces de cuivre, pièces carrées libellées en öre (au centre). La domination suédoise s'étendant à l'Allemagne, il mit en circulation des ducats d'or pour ses sujets allemands. Sa fille Christine, reine de Suède (1632-1654), figure sur ce daler d'argent, à droite.

Enormes marteaux-pilons, servant à estamper les marques sur les monnaies-plaques

MONNAIES-PLAQUES
La Suède émit pour la première fois, sous la reine Christine, d'énormes pièces de cuivre, appelées monnaies-plaques, grâce aux riches mines de cuivre d'Avesta et de Falun (représentées sur le token ci-dessus). Extrêmement lourde – cette pièce carrée d'un daler (à droite) pèse environ 2 kg –, la monnaie-plaque fut remplacée par le papier-monnaie, comme ce chèque d'une valeur de 288 dalers.

Anno 1717.
Em Daler Silfwermynt

TOKENS EN DALERS
En 1717, manquant d'argent pour financer sa coûteuse guerre avec la Russie, le gouvernement suédois émit des billets et des pièces de cuivre libellés en dalers. Celles-ci sont ornées de divinités romaines, à l'effigie de Mercure, Jupiter, Saturne et Mars.

Daler en papier

Trois signatures étaient nécessaires pour valider les billets.

Dalers en cuivre

L'aigle à deux têtes, emblème de la Russie

Sur ce dessin d'un billet finlandais, le nom de la Banque de Finlande est écrit en suédois, en finlandais et en russe.

LA FINLANDE RUSSE
En 1809, la Suède perdit la Finlande au profit de la Russie qui imposa sa monnaie (roubles et kopecks). Ce billet de 20 kopecks (à droite) a été émis en 1840. Avec la création, en 1864, du markka divisé en 100 penni, la Finlande posséda enfin sa propre monnaie. Cette pièce en or est de 20 markkaa et celle de cuivre de 10 penni.

L'UNION SCANDINAVE
En 1873, la Suède, le Danemark et la Norvège élaborèrent un système monétaire commun. La monnaie suédoise est, depuis, libellée en kronor, ou couronnes. Cette pièce de 5 öre a été émise en 1857, mais celle de 20 couronnes ne date que de 1876.

AR 1840 **Nº 76141**

Tjugu Kopek

UTI STORFURSTENDÔMET FINLANDS WÄ-XEL - DEPOSITIONS - OCH LÅNE - BANK ÅR INSATT EN SUMMA AF TJUGU KOPEK KEJ-SERLIGA RYSKA BANKO-ASSIGNATIONER, HVILKA 20 KOPEK INNEHAFVAREN HÄR-AF HAR ATT ÅTERBEKOMMA.

ДВАДЦАТЬ КОПѢЕКЪ.

Kaxi Kymmendå Kopekaa.

20 KOP

5 KRS

1 KRS

50 öre

HORS SYSTÈME
La Finlande possède un système monétaire différent de celui des autres pays scandinaves car, lorsqu'elle acquit son indépendance en 1917, elle conserva celui que l'Empire russe avait mis en place.

Monnaie actuelle de Suède

100 ETTHUNDRAKRONOR

500 FEM HUNDRA KRONOR

1000 TUHAT MARKKAA
SUOMEN PANKKI

Monnaie actuelle de Finlande

VIISIKYMMENTÄ MARKKAA
50
SUOMEN PANKKI

1 MF

20 p

1 p

La Tour de Londres a abrité la Monnaie royale à partir de 1279, et pendant 500 ans environ.

LA LIVRE STERLING EST SOUVERAINE

Les Celtes et les Romains introduisirent l'usage de la monnaie dans les îles Britanniques. Au Moyen Âge apparut, en Angleterre, le sterling d'argent, et la première pièce de une livre fut frappée en 1489. À partir du XVIIe siècle, la Grande-Bretagne, par ses conquêtes commerciales et territoriales, étendit son influence au monde entier et exporta sa monnaie dans de nombreux pays. Aujourd'hui, l'unité monétaire du Royaume-Uni est la livre sterling, divisée en 100 pennies, alors qu'avant l'adoption du système décimal en 1971, il fallait 240 pennies (ou 20 shillings) pour faire une livre. Si en Angleterre et au pays de Galles les billets sont émis par la Banque d'Angleterre, ailleurs circulent des billets régionaux. Les pièces, elles, sont frappées par la Monnaie royale, à l'exception de celles de l'île de Man et des îles Anglo-Normandes.

MONNAIE EN OR
Cette pièce celte (10-40 apr. J.-C. environ) porte le nom d'un ancien et célèbre souverain britannique, Cunobelin, roi de la tribu des Catuvellauni.

ATELIER MONÉTAIRE
L'empereur Maximilien fit frapper cette pièce de bronze dans l'atelier monétaire romain de Londres (*Londinium*), dont le nom «LON» figure au bas de la pièce.

PENNIES DES SAXONS ET DES VIKINGS
Les Anglo-Saxons introduisirent l'usage du penny d'argent : sur la pièce de gauche figure le roi saxon Alfred le Grand; sur celle de droite, le nom d'Eric Bloodaxe, roi viking de York.

Pièce d'argent de 6 pence

FRAPPE MÉCANIQUE
Cette pièce d'argent de 6 pence d'Elisabeth I (ci-dessus) fut la première monnaie à être frappée avec un balancier identique à celui-ci.

Les rois écossais étaient toujours représentés de profil sur le penny d'argent.

Poinçons que l'on applique sur la pièce pour en garantir le titre

LE STERLING D'ARGENT
En 1279, le roi d'Angleterre Edouard Ier mit en circulation un nouveau penny d'argent, le sterling. Fréquemment employées dans le commerce, ces pièces furent abondamment imitées à l'étranger. Celles-ci sont des sterlings d'Edouard Ier (à gauche) et de Robert Bruce, roi d'Ecosse (à droite).

LE GROS ET LE NOBLE
Le développement du commerce entraîna au XIVe siècle la mise en circulation de nouvelles monnaies. Le gros d'argent (à gauche) valait 4 pennies et le noble d'or (à droite) 80 pennies.

FAIRE L'APPOINT
La petite monnaie locale réapparut à la fin du XVIIIe siècle, quand le gouvernement cessa de frapper des pièces de cuivre. Les commerçants émirent alors leurs propres pièces. Ce demi-penny au druide gallois (en haut) a été frappé par une compagnie minière de cuivre du pays de Galles et celui qui réprésente Lady Godiva (au centre) a été émis à Coventry.

Pièce frappée par le propriétaire de l'auberge Queen's Head, à Londres

PETITE MONNAIE
Au XVIIe siècle, le manque de petite monnaie obligea commerçants et aubergistes à émettre des monnaies en bronze de 1 farthing (un quart de penny) ou de 1 demi-penny.

DEMI-PENNY DE CUIVRE
Britannia figurait sur l'avers de la première pièce de 1 demi-penny, émise en 1672.

LADY GODIVA
D'après la légende, Lady Godiva dut parcourir nue les rues de Coventry pour convaincre son mari de baisser les impôts. La seule personne qui la vît alors fut surnommée «Peeping Tom» (Tom le Curieux).

Des presses à vapeur frappèrent en 1797 ces pièces dites «roues de charrette».

LE SOUVERAIN D'OR

La première pièce de 1 livre (240 pence d'argent) apparut sous le roi Henri VII, en 1489. Ce spécimen fut frappé en 1545 sous le roi Henri VIII, représenté ici sur le trône.

L'OR DE L'UNITÉ

Une nouvelle pièce fut introduite par le roi James Ier en 1604. Celle-ci fut frappée en 1650 pendant la guerre civile, au moment ou l'Angleterre était gouvernée par un parlement, après l'exécution du roi Charles Ier, fils de James.

«GUINÉE» D'OR

Le roi Charles II figure sur cette pièce d'or de 1 livre (1663). Le petit éléphant, au bas de la pièce, indique que l'or provenait des côtes africaines de Guinée.

«SOUVERAIN D'OR»

On donna à cette nouvelle pièce d'or de 1 livre émise pendant le règne de George III le nom de la première pièce d'or anglaise, le «souverain».

GUINÉE DE PAPIER

Le papier-monnaie se répandit en Grande-Bretagne au cours du XVIIIe siècle (pp. 12-13). Ce billet écossais de 1 guinée (1777) fut le premier à être imprimé en trois couleurs.

La reine Victoria aimait offrir des pièces de 5 livres, comme celle-ci, à titre de souvenir aux visiteurs de sa cour.

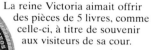

Florin de 1849

MONNAIES DÉCIMALES

On tenta une première fois de passer au système décimal, en 1849, en mettant en circulation une pièce de 2 shillings, le florin, qui représentait le dixième de la livre. Il fut transformé en pièce de 10 pence après l'adoption définitive du système décimal en 1971.

Pièce de 10 pence, son équivalent actuel

Monnaie actuelle

1 £   50 p   20 p   10 p

5 p   2 p   1 p

50 p   1 £   5 p
Ile de Man   Jersey Guernesey

BILLET DE SIX PENCE

Pendant la Seconde Guerre mondiale, l'île de Jersey créa et imprima ses propres billets.

Agent de la police royale montée canadienne (appelé aussi «Mountie»)

AU CANADA, LE DOLLAR SUPPLANTE LE CASTOR

En dépit des tentatives faites par Français et Britanniques pour introduire au Canada l'usage des pièces et des billets, les indigènes continuèrent longtemps à utiliser leurs moyens de paiement traditionnels : perles ou couvertures. Le dollar et le cent utilisés aujourd'hui sont apparus dans les années 1850. Divers systèmes monétaires avaient été instaurés avant cette date mais, comme aux États-Unis, le dollar espagnol était la plus importante pièce en circulation. Le dominion du Canada adopta dès 1868 le dollar comme monnaie officielle.

MONNAIE POUR COLONS
C'est Louis XIV qui fit frapper à Paris les premières monnaies canadiennes pour les besoins des colons français. Cette pièce d'argent date de 1670.

MONNAIE AU CASTOR
La Compagnie de la baie d'Hudson émit son propre papier-monnaie, comme ce billet de 1 shilling, mais les commerçants continuaient à payer en peaux de castor. La Compagnie frappa alors des tokens de bronze valant une peau de castor.

MONNAIE PROVINCIALE
La livre sterling anglaise était, jusque dans les années 1850, la monnaie officielle du Canada, mais la plupart des provinces avaient établi leur propre système monétaire fondé sur le dollar hispano-américain. Des pièces de cuivre (tokens), émises localement comme petite monnaie, étaient libellées en penny et demi-penny dans les provinces anglophones et en sou dans le Québec francophone (Bas-Canada).

Token de 1 penny de Nouvelle-Écosse, 1824

Token de 1 demi-penny du Haut-Canada, 1833

Token de 1 sou du Bas-Canada, 1837

Token de 2 sous du Bas-Canada, 1837

PRÉCIEUX DOLLARS

Cette pièce d'or de 20 dollars fut frappée en 1862 avec de l'or extrait en Colombie britannique.

Les Indiens du Canada échangeaient des peaux de castor contre des marchandises exotiques avec les marchands anglais ou français.

MONNAYAGE EN BRONZE

A partir de 1858, suivant l'exemple de l'Ontario et du Québec, toutes les autres provinces mirent en circulation des pièces de 1 cent en bronze. La pièce de gauche provient de l'île du Prince Edouard (1871), celle du centre de Nouvelle-Ecosse (1861) et celle de droite des Nouveaux-Territoires (1938).

DOLLARS CANADIENS

Ce billet de 1906, de la succursale de la Merchants Bank of Canada, à Montréal, est libellé en dollars, monnaie officielle du dominion du Canada.

Dollar au totem

Pièce d'argent de 50 cents

Pièce de 1 dollar

Un cent de bronze

Pièce de 5 cents au castor

MOTIFS ANIMALIERS

Les premières pièces du dominion du Canada (50, 25, 10 et 5 cents en argent) datent de 1870, mais la première pièce de 1 cent n'apparut qu'en 1935. Les pièces plus récentes, comme ce 5 cents au castor, émis en 1937, portent des motifs animaliers.

«Mountie» de la police royale

Monnaie actuelle

DOLLARS COMMÉMORATIFS

La Monnaie royale canadienne émet de nombreuse pièces commémoratives. Celles-ci, de 1 dollar, célèbrent le centenaire de la Colombie britannique, en 1958 (en haut), et de la police royale montée, en 1973 (en bas).

POUR JOUER

Jeton de plastique de 1 dollar, utilisé pour les jeux du casino appelé «Diamond tooth Gertie's», à Dawson City, Yukon

1 $

25 c

10 c

5 c

1 c

AUSTRALIE : RHUM, OR ET DOLLARS

Les premiers colons anglais débarquèrent en Australie et en Nouvelle-Zélande en apportant avec eux la livre sterling, les shillings et les pence mais, le commerce portuaire étant déjà bien établi, on négociait aussi avec des pièces indiennes, néerlandaises ou espagnoles. En 1792, les Australiens découvrirent un type de monnaie beaucoup plus «à leur goût» lorsqu'un bateau américain débarqua une cargaison de rhum à Sydney. Ce précieux liquide servit de monnaie en Nouvelle-Galles du Sud jusqu'en 1813, date à laquelle il fut remplacé par le dollar d'argent hispano-américain qui circula officiellement jusqu'en 1829. Les dollars actuels ont été émis en Australie en 1966, en Nouvelle-Zélande en 1967, lorsque ces pays adoptèrent le système décimal.

SOUS TOUTES LES FORMES
Après la découverte de l'or en Australie, en 1851, on utilisa la poudre comme monnaie jusqu'en 1852, puis des lingots (ci-dessus), et des pièces (en haut à droite). En 1853, alors que des pièces d'or privées (au centre) étaient frappées à Port Phillip, un atelier de Sydney mettait en circulation des souverains et des demi-souverains.

LA RUÉE VERS L'OR
La découverte de l'or en Australie attira de nombreux prospecteurs, venus de tous les coins du monde.

LE DOLLAR ET SON CŒUR
Le dollar troué a été la devise monétaire officielle de la Nouvelle-Galles du Sud (un des États australiens), de 1813 à 1822. Il valait 5 shillings anglais, et le cœur découpé en argent, qui servait également de monnaie, valait 15 pence.

Token de 1 penny de Thames Goldfields, 1874

Token de 1 penny, portant la devise «Advance New Zealand», 1881

BILLETS ET TOKENS NÉO-ZÉLANDAIS
Bien que la monnaie anglaise eût cours officiellement en Nouvelle-Zélande, les pièces de cuivre (ou tokens) et les billets d'émission locale étaient le plus couramment utilisés au XIXᵉ siècle. Celui-ci fut émis en 1857 par une banque de commerce britannique.

BANK OF QUEENSLAND, LIMITED.

TOOWOOMBA

THREE · THREE

No 1725 · No 1725

I Promise to pay the Bearer on Demand this Sum of THREE POUNDS in Cashiere
2nd day of ... 1865 Brisbane 2d Jany 1865

Batho & Co London.

FOR THE BANK OF QUEENSLAND, LIMITED.

THREE

Ent ... Acct · ... MANAGER.

BRISBANE.

L'émeu, oiseau fétiche d'Australie

TROC
Lorsque les Européens débarquèrent en Australie et en Nouvelle-Zélande, ils échangèrent avec les aborigènes des vêtements et des outils métalliques contre de la nourriture.

BILLETS ET TOKENS AUSTRALIENS
Pendant la seconde moitié du XIXᵉ siècle, l'essentiel du numéraire australien se composait de billets et de tokens de fabrication locale. Ainsi, c'est la succursale de Brisbane de la Bank of Queensland qui émit, en 1865, ce billet de 3 livres. En revanche, ces tokens de cuivre de Tasmanie et d'Australie occidentale ont été frappés à Melbourne.

Monnaie actuelle de Nouvelle-Zélande

EN AUSTRALIE
En 1910, les Australiens frappèrent leurs propres pièces : florins d'argent (en haut), shillings (à gauche), pièces de 6 et de 3 pence. La circulation fut complétée en 1911 par des pennies et demi-pennies de bronze.

EN NOUVELLE-ZÉLANDE
En 1933, les Néo-Zélandais émirent à leur tour leur propre monnaie : demi-couronnes d'argent, florins, shillings, pièces de 6 et de 3 pence, puis, à partir de 1940, pennies et demi-pennies de bronze.

Ce bijou porte-bonheur maori fut reproduit sur les pièces de 1 demi-penny, de 1940 à 1965.

50 c
20 c
1 c

Monnaie actuelle d'Australie

1 $
50 c
20 c

LE YUAN ET LE YEN : DES MONNAIES-DRAGONS

Le monnayage apparut en Chine au VIᵉ siècle av. J.-C. et fut ensuite adopté par le Japon. Les monnaies chinoises étaient alors en bronze, l'or et l'argent n'étant utilisés dans les paiements qu'au poids; en revanche, les Japonais mirent au point un système monétaire utilisant les métaux précieux. Ces deux pays jouèrent un rôle important dans l'usage du papier-monnaie. Les étalons monétaires modernes de la Chine et du Japon se sont développés à partir des dollars d'argent importés par les marchands européens et américains.

La Grande Muraille de Chine s'étend sur 2 400 km.

Changeur chinois

FORMES INSOLITES

Les premières monnaies chinoises avaient une forme d'outil, comme cette monnaie-houe fabriquée vers 300 av. J.-C. Elles furent remplacées, en 221 av. J.-C., sur l'ordre de l'empereur Qin Shihuangdi, par des pièces rondes, plus pratiques, et percées d'un trou carré (ci-dessous). Sous Wang Mang (7-23 apr. J.-C.), des monnaies-outils firent une nouvelle apparition, comme cette monnaie-couteau (à droite).

L'inscription indique le poids de la pièce : une demi-once.

EN BRONZE

En 1626, les Shogouns du Japon adoptèrent une nouvelle forme de pièces en bronze, dont l'inscription signifiait «monnaie généreuse et durable».

Indication du poids (10 onces) et signature du directeur de l'atelier monétaire

Trou permettant d'enfiler les pièces sur une ficelle

EN BAMBOU

Au XIXᵉ siècle, à Shanghai, en Chine, des morceaux de bambou remplacèrent les lourdes pièces de cuivre. Celui-ci valait 100 pièces.

STANDARDISATION

En 621 apr. J.-C., la dynastie chinoise Tang créa un nouveau modèle de pièces (en haut) portant une inscription de quatre caractères disposés autour du trou carré. Ce modèle, utilisé en Chine jusqu'en 1912, fut adopté par le Japon en 708 apr. J.-C. (en bas).

MONNAIES FORTES

Une pénurie de cuivre, due à l'occupation des régions minières, entraîna en Chine l'émission de monnaies à forte valeur libératoire. Celle-ci (1854) valait mille pièces d'argent.

OR OU PLOMB

Cet oban de 1860 (plaque d'or) est une monnaie japonaise de la période des Shogouns Tokugawa. Des clans locaux émirent leurs propres monnaies, comme cette pièce de plomb (ci-dessus) de Kanragori.

Le vieillard représenté sur ce dollar de Taiwan est le dieu chinois de la longévité.

THE YUE SOO IMPERIAL BANK
KIANGSU PROVINCE

1 **1**

S.N° 135241 Promises to pay the bearer on demand S.N° 135241

ONE SILVER DOLLAR LOCAL CURRENCY

at any of its offices in Kiangsu province for value received

Soochow 1st September, 1906

BY ORDER OF THE GOVERNOR

with the seal of the Treasurer

1 **1**

DOLLAR CHINOIS

Les Chinois importèrent des dollars d'argent avant d'en fabriquer eux-mêmes. Ce furent d'abord des émissions locales officieuses, comme ce dollar de Taiwan (1840) puis, à partir de 1890, le dollar impérial «au dragon».

DRAGONS DE PAPIER
Les Chinois utilisaient aussi des billets libellés en dollars. Celui-ci fut émis par la banque impériale de la province de Jiangsu en 1906.

UNE GRANDE FIGURE
L'empereur Meiji Tenno, dit Mutsuhito, régna sur le Japon de 1867 à 1912.

TRAVAILLEURS DE TOUS LES PAYS, UNISSEZ-VOUS!
On pouvait lire ce slogan sur les dollars chinois émis par l'armée communiste en 1934.

DOLLAR JAPONAIS
Le dollar américain influença aussi le Japon qui l'intégra dans son propre monnayage. En 1870, l'empereur Meiji remplaça les monnaies traditionnelles des Shogouns par son propre dollar «au dragon».

YUAN ET FEN
Le nom du dollar chinois, yuan, signifie «pièce ronde» et le fen, qui désigne le cent, un centième. Ce billet de 2 fen fut émis par la Banque du peuple chinois en 1953.

YEN ET SEN
Le nom du dollar japonais, yen, signifie «pièce ronde». Le sen, du nom de la monnaie traditionnelle en bronze, désigne le cent. Ce billet de 10 sen de l'empereur Meiji fut émis en 1872.

Monnaie actuelle de Chine

5 fen   2 fen   1 fen   500 yen   10 yen   **Monnaie actuelle du Japon**

5 yen

10 fen (à gauche) = 1 jiao (à droite)

Billet de 10 fen

L'OR AFRICAIN TRAVERSE LES DÉSERTS

C'est d'Afrique que proviennent les premiers témoignages attestant l'usage de la monnaie (pp. 8-9). Les premières pièces africaines furent émises vers 500 av. J.-C. par une colonie grecque et le monnayage se répandit rapidement de l'Égypte au Maroc. On vit bientôt apparaître des ateliers monétaires phéniciens, africains, romains et byzantins et, à partir du VIIIᵉ siècle, les marchands arabes et berbères tracèrent des routes à travers le Sahara pour amener l'or jusqu'aux ateliers d'Afrique du Nord, d'où il était expédié en Europe. Plus au sud, les formes traditionnelles de paiement, en sel, bétail, vêtements et outils, subsistèrent jusqu'au moment où les commerçants et colons européens introduisirent l'usage des pièces et des billets.

Nord

L'emblème de Carthage était le cheval, représenté ici par Pégase.

LE NERF DE LA GUERRE
Cette grosse pièce d'argent fut frappée pour payer les troupes carthaginoises pendant la première guerre punique, qui opposait Carthage et Rome (264-241 av. J.-C.). L'inscription est en phénicien.

Caractères arabes

CONVOIS PRÉCIEUX
Les Berbères Muwahhid transportaient l'or à travers le Sahara. Cette pièce fut émise au XIIIᵉ siècle.

LE MAROC FRANÇAIS
Ce billet de 2 francs fut émis pendant la Seconde Guerre mondiale pour le protectorat français du Maroc. Le Maroc utilisa le système monétaire français de 1910 à 1960.

LES KISSI
Au Liberia et dans les Etats voisins de l'Afrique occidentale, on utilisa comme monnaie, jusqu'en 1930, des morceaux de fer aplatis à chaque extrémité. Ils prirent le nom de la population qui les fabriquait, les Kissi.

Ouest

DES COLONIES
Ce macuta de cuivre fut frappé à Lisbonne en 1762 pour les besoins de l'Angola. «Macuta» était le nom de la barre de cuivre qui servait localement de monnaie.

Les populations Ibo du Nigeria utilisaient comme monnaie des anneaux de cuivre, ou «manilles».

DOLLAR AU LION
La colonie britannique de Sierra Leone, destinée à recevoir les esclaves africains libérés, bénéficia d'un monnayage de dollars d'argent émis en 1791.

MONNAIE COLONIALE
Les fondateurs américains du Liberia, lui aussi créé pour accueillir des esclaves libérés, émirent des cents de cuivre en 1833. Le dessin représente un Africain saluant des hommes libres.

L'INDÉPENDANCE
La Côte-de-l'Or, première colonie britannique à accéder à l'indépendance, devint le Ghana, en 1956. Cette pièce est consacrée à Kwame Nkrumah, fondateur de l'Etat du Ghana.

UNION MONÉTAIRE
Lorsque les anciennes colonies de l'Afrique-Occidentale française accédèrent à l'indépendance en 1958, elles émirent une monnaie commune, dont ce billet de 100 francs C. F. A.

L'OR DES PHARAONS
Les hiéroglyphes
égyptiens de cette
pièce du pharaon
Nectanebo II
(359-343 av. J.-C.)
signifient «de bon or».

**PIÈCE GRÉCO-
ÉGYPTIENNE**
Le portrait
d'Alexandre le
Grand, qui
gouverna l'Egypte,
figure sur cette
pièce, frappée
en 310 av. J.-C. par
Ptolémée Ier, son successeur en Egypte.

L'ÉGYPTE ROMAINE
Après la mort de
Cléopâtre, reine
d'Egypte, les Romains
lui succédèrent et
y frappèrent leurs
propres monnaies.
Cette pièce de cuivre date
de Néron (54-68 apr. J.-C.).

THALERS D'AFRIQUE
Avant la Seconde Guerre
mondiale, le système monétaire
éthiopien était fondé sur
le thaler d'argent importé
d'Autriche. Ce billet, émis
sous le règne de l'empereur
Hailé Sélassié est libellé en
français et en éthiopien.

MONNAIE SULTANE
Cette pièce de cuivre
fut émise au XVe siècle
par le sultan swahili
de Kilwa, en Tanzanie.

EN OR
Cet anneau d'or était
utilisé pour effectuer des
paiements au Soudan à la
fin du XIXe siècle.

LE PÈRE DE LA NATION
Certains pays africains
ont frappé des pièces
commémoratives pour célébrer leur
accession à l'indépendance. Cette pièce
d'or, émise en 1966, porte le portrait
de Jomo Kenyatta, «père» du Kenya.

Madagascar : fragments
d'une pièce en argent de
5 francs, vers 1890

Mozambique portugais :
2,5 maticaes en or, 1851

Partie du dessin
d'un billet
de l'Afrique-
Equatoriale française

Mombasa sous contrôle
britannique : roupie de
l'Imperial British East
Africa Company (Kenya), 1888

Madagascar : monnaie-timbre
de 10 centimes, 1916

Tanzanie allemande (Afrique
orientale) : 15 roupies en or, 1916

**MONNAIE
DES NATIONS UNIES**
Sur cette pièce
zambienne de 50 ngwee
émise en 1969 pour faire
connaître le travail de
la FAO (Organisation pour
l'alimentation et l'agriculture),
le dessin représente un épi de
maïs, nourriture
principale de Zambie.

DE L'OR À PROFUSION
La République d'Afrique du Sud est
l'un des plus grands producteurs d'or,
dont la majeure partie est exportée
sous forme de pièces de placement,
ou krugerrands. Chacune d'elles
contient une once d'or fin.

MONNAYAGE COLONIAL
La France, l'Allemagne, la Grande-Bretagne, l'Italie et le Portugal
émirent pour leurs colonies d'Afrique orientale des billets et des pièces
qui s'ajoutèrent aux monnaies locales. Les pièces indiennes étant très
répandues, les Anglais émirent à Mombasa une roupie pour le Kenya.
Des roupies furent également frappées par les Allemands au Tanganyika
(aujourd'hui région de la Tanzanie) et par les Italiens en Somalie.
A Madagascar, les Français imposèrent dès le XIXe siècle leurs propres
pièces d'argent que les populations locales coupèrent en morceaux.
Ceux-ci étaient acceptés dans les paiements en fonction de leur poids.

DE LA TIRELIRE À LA BANQUE

L'avarice n'a jamais été une qualité, mais personne, de nos jours, ne conteste la nécessité de veiller à son argent. L'État, les banques et les sociétés de placement offrent diverses solutions pour le mettre à l'abri, l'épargner ou l'investir. Avant que les banques de dépôt n'existent, on pouvait placer d'importantes sommes chez un commerçant ou chez un orfèvre, mais le seul moyen sûr de protéger son argent était de l'enterrer ou de le cacher. C'est de cette pratique que naquit l'image populaire de l'avare. Et pour les petites économies familiales et domestiques, les cachettes les plus simples restent toujours la tirelire ou la bourse.

TRÉSOR ENFOUI
Des pièces persanes en argent, datant du XVIIᵉ siècle, avaient été cachées dans ce pot découvert en 1960.

PORTE-MONNAIE INATTENDU
Ces deux gadgets, conçus pour recevoir des pièces de 1 livre sterling, les maintiennent bien en place dans les poches.

De nos jours, la plupart des gens placent leurs économies à la banque ou dans les caisses d'épargne.

Le chêne, emblème anglais, fut gravé sur les pièces de 1 livre, en 1987.

LONGUES ÉCONOMIES
Cette bourse a été retrouvée dans un tribunal anglais, au début du XVIIIᵉ siècle. Elle avait une longue histoire, car certaines pièces en or et en argent qu'elle contenait dataient du XVIᵉ siècle.

Anneau pour fermer la bourse

Ouverture pour introduire les pièces

Fente pour introduire les pièces

INGÉNIEUX
Si vous perdez la clé de cette tirelire, vous ne pourrez jamais récupérer vos fonds! On introduit les pièces dans une fente qui se referme automatiquement et les billets dans une autre fente incurvée. Mieux vaut déposer la clé à la banque pour ne pas être tenté de toucher à ses économies!

EST-CE PRUDENT?
Cette bourse en tissu, du XIXᵉ siècle (ci-dessus), se portait à la ceinture. Elle s'ouvrait par une fente, placée en son centre, et se fermait par deux anneaux coulissants. Mais rien ne la protégeait des pickpockets!

SOPHISTIQUÉ

Les tirelires à mécanisme étaient très en vogue aux États-Unis au XIXᵉ siècle. Dans celle-ci, on place une pièce dans le bec de l'aigle qu'une manette pousse en avant pour qu'il «nourrisse» ses petits. La pièce tombe alors dans une fente placée au fond.

Poignée pour pousser l'aigle vers l'avant

Les pièces passaient par cette ouverture.

Tirelire anglaise du milieu du XIXᵉ siècle

FAMILIER

Le cochon de terre est la tirelire la plus répandue, mais on ignore l'origine de cette popularité. En Europe, les plus anciens spécimens datent du XVIIᵉ siècle et nous viennent d'Allemagne, mais il semble que cet usage soit apparu en Malaisie dès le XIVᵉ siècle.

OÙ VA L'ARGENT?

Cette tirelire américaine, fabriquée en 1873, est porteuse d'un message. Le personnage assis est William «Boss» Tweed, un politicien américain corrompu, établi à New York. Toute pièce déposée dans sa main disparaît aussitôt dans sa poche!

PRATIQUE

Ce bas de laine en coton tissé provient d'Amérique du Sud et se porte à la ceinture. La partie la plus haute était rabattue sur l'ouverture, et quand on voulait prendre de l'argent, il suffisait de tirer sur le pompon du bas pour dégager à nouveau l'ouverture.

William «Boss» Tweed détourna plus de 30 millions de dollars à la municipalité de New York.

PAS DE RÉPIT POUR LES CARTES DE CRÉDIT

Lorsqu'on parle de monnaie, on pense généralement aux pièces et aux billets. Mais aujourd'hui, la plupart des fonds sont enregistrés dans la mémoire des ordinateurs et les paiements s'effectuent essentiellement par un transfert d'argent d'un ordinateur à un autre. Naguère, les fonds étaient consignés sur des registres manuscrits et les transactions se faisaient au moyen de formulaires imprimés, le plus souvent des chèques – la monnaie scripturale. Mais, depuis quelques années, ceux-ci tendent à être progressivement remplacés par des cartes bancaires et par des cartes de crédit, dont certaines sont pourvues de véritables ordinateurs intégrés ou «puces».

CHÈQUE AMÉRICAIN
Ce chèque indique à la banque qu'elle doit verser 600 dollars à M. John Negus ou à toute personne à qui il remettrait ce chèque, que l'on appelle le porteur.

CHÈQUE DE VOYAGE
Ces chèques sont très utiles à l'étranger. On les achète dans une banque avant de partir et on les échange contre les espèces du pays où l'on se rend.

LETTRE DE CHANGE
La valeur de ce billet à ordre, émis en 1928 par la banque Yi-qing-xiang de Hankou, en Chine centrale, est de 500 onces d'argent.

MANDAT
Une boutique française de confection a utilisé ce mandat pour payer les marchandises reçues d'un fournisseur. Le timbre de 5 centimes correspond à la taxe sur les mandats.

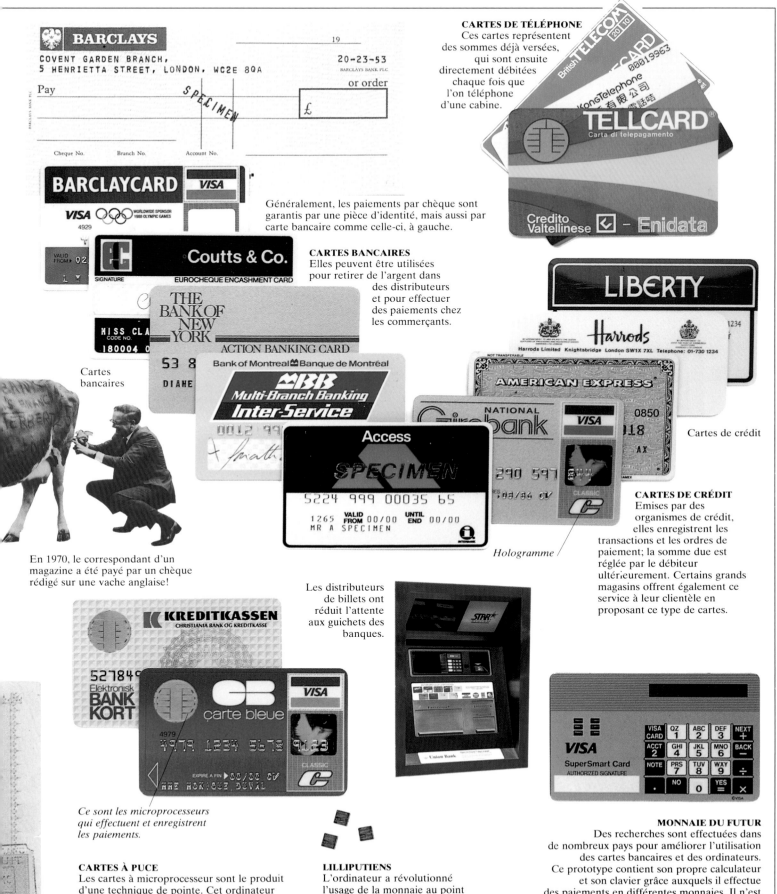

CARTES DE TÉLÉPHONE
Ces cartes représentent des sommes déjà versées, qui sont ensuite directement débitées chaque fois que l'on téléphone d'une cabine.

Généralement, les paiements par chèque sont garantis par une pièce d'identité, mais aussi par carte bancaire comme celle-ci, à gauche.

CARTES BANCAIRES
Elles peuvent être utilisées pour retirer de l'argent dans des distributeurs et pour effectuer des paiements chez les commerçants.

Cartes bancaires

Cartes de crédit

En 1970, le correspondant d'un magazine a été payé par un chèque rédigé sur une vache anglaise!

Les distributeurs de billets ont réduit l'attente aux guichets des banques.

Hologramme

CARTES DE CRÉDIT
Emises par des organismes de crédit, elles enregistrent les transactions et les ordres de paiement; la somme due est réglée par le débiteur ultérieurement. Certains grands magasins offrent également ce service à leur clientèle en proposant ce type de cartes.

Ce sont les microprocesseurs qui effectuent et enregistrent les paiements.

CARTES À PUCE
Les cartes à microprocesseur sont le produit d'une technique de pointe. Cet ordinateur minuscule, intégré à la carte, enregistre toutes les transactions. C'est la France qui a ouvert la voie en ce domaine avec sa Carte bleue (ci-dessus).

LILLIPUTIENS
L'ordinateur a révolutionné l'usage de la monnaie au point que, de nos jours, d'énormes sommes d'argent n'existent que comme impulsion électrique dans des «puces» comme celles-ci.

MONNAIE DU FUTUR
Des recherches sont effectuées dans de nombreux pays pour améliorer l'utilisation des cartes bancaires et des ordinateurs. Ce prototype contient son propre calculateur et son clavier grâce auxquels il effectue des paiements en différentes monnaies. Il n'est pas encore en usage, mais qui sait comment se présentera la monnaie du futur?

COLLECTIONNER, C'EST VOYAGER!

Les dessins et les inscriptions gravés sur les pièces sont une source d'informations passionnantes sur les personnages historiques – empereurs, rois et reines – qui les firent frapper et sur ceux qui les utilisèrent, comme les négociants ou les voyageurs. Chacun d'entre nous peut s'adonner à la numismatique, la science des monnaies et des médailles, en sélectionnant, par exemple, des pièces autour d'un thème précis. Sur ces pages, les pièces d'or présentées sont anciennes et donc très onéreuses, mais on peut se procurer plus facilement celles qui sont exposées sur le présentoir gris (p. 61).

CACHÉES POUR LA POSTÉRITÉ
Les pièces que se procurent les collectionneurs appartenaient souvent à des gens qui, jadis, les avaient enterrées pour les mettre en lieu sûr, puis les avaient oubliées ou n'avaient pas su les retrouver.

Une brosse à dents souple ne rayera pas les pièces.

Alcool à brûler

COMME UN SOU NEUF
En frottant les pièces avec un coton imbibé d'alcool à brûler, on ôte l'essentiel de la saleté et on dégraisse la surface.

Morceaux de coton

EN PAPIER
Les sachets de papier, qui ne contiennent aucun acide, ne risquent pas d'endommager les pièces. En outre, ils permettent d'y noter des indications.

Un cure-dent enlèvera de nombreuses parcelles de saleté sans rayer la pièce et un capuchon de stylo en plastique permettra de retirer facilement les pièces des présentoirs.

PROTÉGER LES PIÈCES
Les pièces anciennes sont souvent sales. Il faut donc les nettoyer avec de l'alcool à brûler ou du savon, puis les sécher soigneusement. On peut aussi utiliser une brosse à dents souple ou un morceau de bois tendre. Si le résultat n'est pas satisfaisant, mieux vaut se renseigner auprès d'un numismate chevronné. Et dans tous les cas, il est préférable de tester la méthode sur des pièces de moindre valeur et plus récentes.

N'utiliser une pointe de métal qu'avec précaution.

Une loupe est indispensable pour observer les plus petits détails du dessin.

Des doigts moites ont laissé cette trace sur la pièce.

QUELQUES CONSEILS

Pour que vos pièces de collection soient belles et préservées de toute corrosion, n'utilisez jamais de liquide à polir le métal ou de brosse métallique pour nettoyer vos pièces, vous entameriez le dessin! Ne mettez jamais non plus vos pièces dans des sachets en plastique, car celui-ci adhérerait au métal et les abîmerait. Enfin ne prenez jamais vos pièces avec des doigts tachés ou gras, la saleté s'y déposerait.

Il ne faut jamais utiliser d'emballages en plastique, car à la longue ils deviennent collants et provoquent la corrosion des pièces.

La trace verte de corrosion que l'on voit sur cette pièce est due à une enveloppe de plastique.

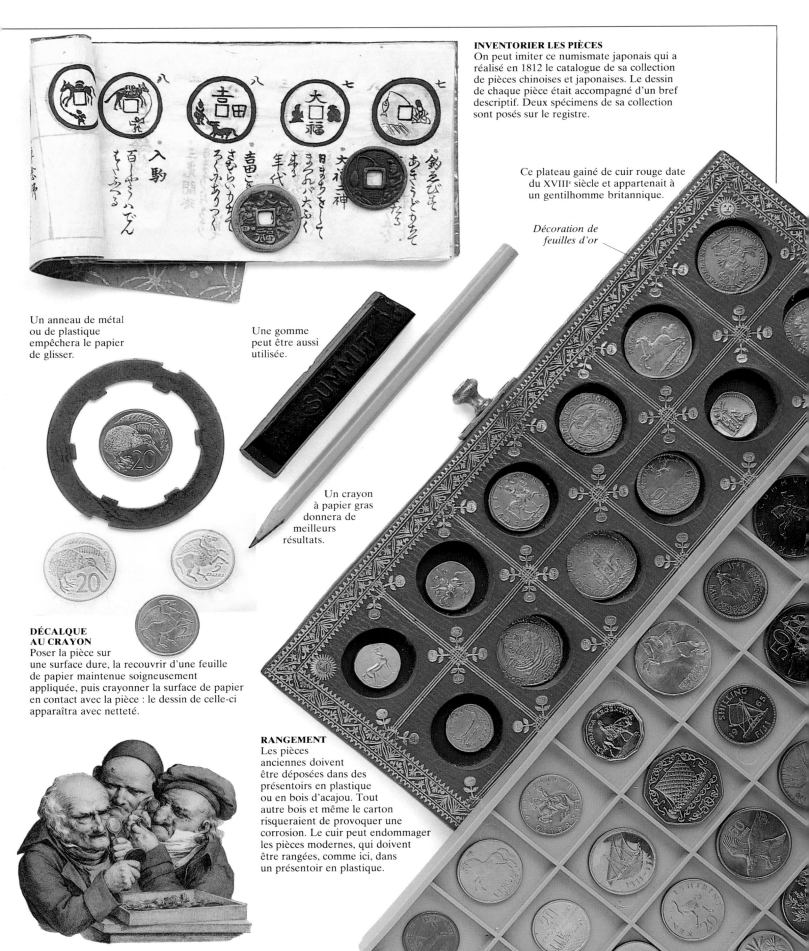

INVENTORIER LES PIÈCES
On peut imiter ce numismate japonais qui a réalisé en 1812 le catalogue de sa collection de pièces chinoises et japonaises. Le dessin de chaque pièce était accompagné d'un bref descriptif. Deux spécimens de sa collection sont posés sur le registre.

Ce plateau gainé de cuir rouge date du XVIIIᵉ siècle et appartenait à un gentilhomme britannique.

Décoration de feuilles d'or

Un anneau de métal ou de plastique empêchera le papier de glisser.

Une gomme peut être aussi utilisée.

Un crayon à papier gras donnera de meilleurs résultats.

DÉCALQUE AU CRAYON
Poser la pièce sur une surface dure, la recouvrir d'une feuille de papier maintenue soigneusement appliquée, puis crayonner la surface de papier en contact avec la pièce : le dessin de celle-ci apparaîtra avec netteté.

RANGEMENT
Les pièces anciennes doivent être déposées dans des présentoirs en plastique ou en bois d'acajou. Tout autre bois et même le carton risqueraient de provoquer une corrosion. Le cuir peut endommager les pièces modernes, qui doivent être rangées, comme ici, dans un présentoir en plastique.

L'étude des pièces exige de la concentration!

LA MONNAIE DANS TOUS SES ÉTATS

Partout dans le monde la monnaie se présente ordinairement sous forme de billets et de pièces, mais ceux-ci sont différents d'un pays à l'autre : chacun dispose en effet d'une monnaie nationale. C'est pourquoi les voyages ou les achats de matériel à l'étranger doivent s'effectuer en monnaies étrangères, ou devises, par l'opération du change. La liste présentée ici est celle de pièces et de billets émis par différents pays, répartis géographiquement de part et d'autre d'une ligne partant du nord-ouest de chaque continent pour aller vers le sud-est.

AMÉRIQUE

Canada
Dollar canadien [$CAN] (100 cents)
Billets : 1 000, 500, 100, 50, 20, 10, 5, 2, 1 dollar
Pièces : 1 dollar; 25, 10, 5, 1 cent

États-Unis d'Amérique
Dollar [$] (100 cents)
Billets : 1 000, 500, 100, 50, 20, 10, 5, 2, 1 dollar
Pièces : 25, 10, 5, 1 cent

Mexique
Peso mexicain [$MEX] (100 centavos)
Billets : 50 000, 20 000, 10 000, 5 000, 2 000, 1 000, 500 pesos
Pièces : 500, 200, 100, 50, 25, 20, 10, 5, 1 peso; 50, 20 centavos

Cuba
Peso cubain [$CU] (100 centavos)
Billets : 100, 50, 20, 10, 5, 3, 1 peso
Pièces : 1 peso, 20, 10, 5, 2, 1 centavo

Jamaïque
Dollar [$] (100 cents)
Billets : 100, 20, 10, 5, 2, 1 dollar
Pièces : 1 dollar; 50, 25, 20, 10, 5, 1 cent

Équateur
Sucre [SUC] (100 centavos)
Billets : 1 000, 500, 100, 50, 20, 10, 5 sucres
Pièce : 1 sucre; 50, 20 centavos

Pérou
Inti [I] (100 centavos)
Billets : 500, 200, 100, 50, 10, 5, 1 inti
Pièces : 1 inti; 50, 20, 10, 5, 1 centavos

Brésil
Cruzado [CZ] (100 centavos)
Billets : 5 000, 1 000, 100, 50, 10 cruzados
Pièces : 50, 10, 5, 1 cruzado; 50, 20, 10, 5, 1 centavo

Chili
Peso [$] (100 centavos)
Billets : 5 000, 1 000, 500, 100 pesos
Pièces : 100, 50, 10, 5, 1 peso

Argentine
Austral [A] (100 centavos)
Billets : 100, 50, 10, 5, 1 austral
Pièces : 50, 10, 5, 1 peso; 1, 1/2 centavo

EUROPE

Islande
Króna [KIS] (100 aurar)
Billets : 1 000, 500, 100, 50, 10 krónur
Pièces : 10, 5, 1 króna; 50, 10, 5 aurar

Irlande
Livre irlandaise [£IR] (100 pence)
Billets : 100, 50, 20, 10, 5, 1 livre
Pièces : 50, 20, 10, 5, 2, 1 penny

Royaume-Uni
Livre [£] (100 pence)
Billets : 50, 20, 10, 5 livres
Pièces : 1 livre; 50, 20, 10, 5, 2, 1 penny
L'Angleterre, l'Écosse, l'Irlande du Nord, le Pays de Galles et les îles Anglo-Normandes utilisent maintenant un système monétaire basé sur une livre sterling divisée en 100 pennies (pp. 46-47).

Danemark
Krone (couronne danoise) [KRD] (100 øre)
Billets : 1 000, 500, 100, 50, 20 kroner
Pièces : 20, 10, 5, 2, 1 kroner; 50, 25 øre

Norvège
Krone (couronne norvégienne) [KRN]   (100 øre)
Billets : 1 000, 500, 100, 50 kroner
Pièces : 10, 5, 1 krone; 50, 25, 10, 5 øre
(Nouveaux billets de 1 000 kroner en 1990 et de 500 kroner en 1991)

Suède
Krona (couronne suédoise) [KRS] (100 öre)
Billets : 10 000, 1 000, 500, 100, 50, 10 kronor
Pièces : 5, 1 krona; 50, 25, 10, 5 öre

Finlande
Markka (mark finlandais) [MF] (100 penni)
Billets : 1 000, 500, 100, 50, 10 markkaa
Pièces : 5, 1 markka, 50, 20, 10, 5 penniä
(Nouvelles pièces de 10 et 50 penni en 1990)

France
Franc [F] (100 centimes)
Billets : 500, 200, 100, 50, 20 francs
Pièces : 100, 10, 5, 2, 1, 1/2 franc; 50, 20, 10, 5, 1 centimes

Belgique
Franc belge [FB] (100 centimes)
Billets : 5 000, 1 000, 500, 100 francs
Pièces : 50, 20, 10, 5, 1 franc; 50 centimes

Luxembourg
Franc luxembourgeois [FLUX] (100 centimes)
Billets : 5 000, 1 000, 500, 100, 50, 20 francs
Pièces : 20, 10, 5, 1 franc
(Le franc belge a également cours au Luxembourg.)

Pays-Bas
Gulden (florin) [FL] (100 cents)
Billets : 1 000, 250, 100, 50, 25, 10, 5 gulden
Pièces : 2 1/2, 1 gulden; 25, 10, 5 cents

République fédérale d'Allemagne
Deutsche Mark [DM] (100 pfennige)
Billets : 1 000, 500, 100, 50, 20, 10 marks
Pièces : 5, 2, 1 mark; 50, 10, 5, 2, 1 pfennig

République démocratique Allemande
Mark [DMDR] (100 pfennige)
Billets : 500, 100, 50, 20, 10, 5 marks
Pièces : 20, 10, 5, 2, 1 mark; 50, 20, 10, 5, 1 pfennig

Suisse
Franc suisse [FS] (100 centimes)
Billets : 1 000, 500, 100, 50, 20, 10 francs
Pièces : 5, 2, 1, 1/2 franc; 20, 10, 5, 1 centime

Autriche
Schilling [SCH] (100 groschen)
Billets : 5 000, 1 000, 500, 100, 50, 20 shillings
Pièces : 500, 100, 50, 25, 20, 10, 5, 1 schilling; 50, 10, 5, 2 groschen

Tchécoslovaquie
Koruna (couronne tchécoslovaque) [KCS] (100 haléru)
Billets : 1 000, 500, 100, 50, 20, 10 koruna
Pièces : 5, 2, 1 koruna; 50, 20, 10, 5 haléru

U.R.S.S.
Rouble [RBL] (100 kopecks)
Billets : 100, 50, 25, 10, 5, 3, 1 rouble
Pièces : 1 rouble; 50, 20, 15, 10, 5, 3, 2, 1 kopeck

Pologne
Zloty [ZL] (100 groszy)
Billets : 20 000, 10 000, 5 000, 2 000,
1 000, 500, 200, 100, 50 zloty
Pièces : 20, 10, 5, 2,
1 zloty; 500, 200, 100,
50, 20, 10 groszy

Portugal
Escudo [ESC]
(100 centavos)
Billets : 5 000, 1 000, 500, 100 escudos
Pièces : 250, 100, 50, 25, 10, 5, 2 1/2,
1 escudo; 50 centavos

Espagne
Peseta [PTA]
(100 céntimos)
Billets : 5 000, 2 000,
1 000, 500, 200,
100 pesetas
Pièces : 200, 100, 50, 25, 10, 5,
2, 1 peseta

Italie
Lira (lire ital.) [LIT] (100 centesimi)
Billets : 100 000, 50 000, 20 000,
10 000, 5 000, 2 000, 1 000 lire
Pièces : 500, 200, 100, 50, 20, 10,
5, 2, 1 lira

Yougoslavie
Dinar [DIN] (100 paras)
Billets : 20 000, 10 000, 5 000, 1 000,
500, 100, 50, 20, 10, 5 dinar
Pièces : 100, 50, 20, 10, 5, 2, 1 dinar

Hongrie
Forint [FOR]
(100 fillér)
Billets : 1 000, 500, 100, 50, 20,
10 forints
Pièces : 20, 10, 5, 2, 1 forint; 50, 20,
10, 5, 2 fillér

Grèce
Drachme [DR] (100 lepta)
Billets : 5 000, 1 000, 500, 100,
50 drachmes
Pièces : 50, 20, 10, 5, 2, 1 drachme;
50 lepta

Chypre
Livre cypriote [£CYP] (100 mils)
Billets : 10, 5, 1 livre; 50 cents
Pièces : 1 livre; 20, 10, 5, 2, 1, 1/2 cent

AFRIQUE

Maroc
Dirham [DH] (100 santims)
Billets : 100, 50, 10, 5 dirhams
Pièces : 5, 1 dirham;
50, 20, 10, 5, 1 santim

Algérie
Dinar algérien [DA]
(100 centimes)
Billets : 200, 100, 50, 20, 10 dinars
Pièces : 10, 5, 1 dinar; 50, 10,
5 centimes

Égypte
Livre égyptienne [£EG] (100 piastres)
Billets : 100, 50, 20, 10, 5, 1 livre; 50,
25 piastres
Pièces : 5, 1 livre; 20, 10, 5, 2, 1 piastre

Soudan
Livre soudanaise [£SOU]
(100 piastres ou 1 000 millièmes)
Billets : 50, 20, 10, 5, 1 livre; 50,
25 piastres
Pièces : 50, 20, 10, 5, 2 ghirst;
10 millim

Éthiopie
Birr (100 cents)
Billets : 100, 50, 10, 5, 1 birr
Pièces : 2 birr; 50, 25, 10, 5, 1 cent

Nigeria
Naira [NR] (100 kobo)
Billets : 20, 10, 5, 1 naira; 50 kobo
Pièces : 25, 10, 5, 1, 1/2 kobo

Kenya
Shilling du Kenya
[SHK] (100 cents)
Billets : 200, 100, 50,
20, 10 shillings
Pièces : 5, 1 shilling;
50, 10, 5 cents

Zambie
Kwacha [K] (100 ngwee)
Billets : 20, 10, 5, 2, 1 kwacha
Pièces : 50, 20, 10, 5, 1 ngwee

Botswana
Pula (100 thebe)
Billets : 20, 10, 5, 2, 1 pula
Pièces : 1 pula; 50, 25, 10, 5, 2, 1 thebe

Zimbabwe
Dollar [Z$] (100 cents)
Billets : 20, 10, 5, 2, 1 dollar
Pièces : 1 dollar; 50, 20, 10, 5, 1 cent

Afrique du Sud
Rand [R] (100 cents)
Billets : 50, 20, 10, 5 rands
Pièces : 2, 1 rand; 50, 20, 10, 5, 2, 1 cent

ASIE

Turquie
Lire turque [LTQ] (100 kurus)
Billets : 10 000, 5 000, 1 000, 500, 100,
50 livres
Pièces : 3 000, 1 500, 1 000, 500, 100,
50, 25, 20, 10, 5, 1 kurus

Israël
Shekel [ILS] (100 agorot)
Billets : 100, 50, 10, 5, 1 shekel
Pièces : 1, 1/2 shekel; 10, 5, 1, 1/2 agor

Irak
Dinar irakien [DIK]
(1 000 fils)
Billets : 25, 10, 5, 1,
1/2, 1/4 de dinar
Pièces : 100, 50, 25, 10,
5, 1 fils

Arabie Saoudite
Riyal [RLAS] (100 halalas)
Billets : 500, 100, 50, 10, 5, 1 riyal
Pièces : 100, 50, 25, 10, 5, 1 halalah

Iran
Rial [RL] (100 dinars)
Billets : 10 000, 5 000, 2 000, 1 000,
500, 200, 100 rials
Pièces : 50, 20, 10, 5, 2, 1 rial; 50 dinars

Pakistan
Roupie du Pakistan [RUPP]
(100 paisa)
Billets : 500, 100, 50, 10, 5, 2, 1 roupie
Pièces : 1 roupie; 50, 25, 10, 5, 1 paisa

Inde
Roupie indienne [RUPI] (100 païsa)
Billets : 1 000, 500, 100, 50, 20, 10, 5,
2, 1 roupie
Pièces : 5, 2, 1 roupie; 50, 25, 20, 10, 5,
3, 2, 1 païsa

Sri Lanka
Roupie [Rs] (100 cents)
Billets : 1 000, 500, 100, 50, 20, 10,
5, 2 roupies
Pièces : 5, 2, 1 roupie; 50, 25, 10, 5,
2, 1 cent

Chine
Yuan [RMB] (10 jiao ou 100 fen)
Billets : 10, 5, 2, 1 yuan; 5, 2, 1 jiao
(Les billets étrangers sont également
utilisés.)
Pièces : 1 yuan; 5, 2, 1 jiao; 5, 2, 1 fen

Bangladesh
Taka (100 poisha)
Billets : 500, 100, 50, 20, 10, 1 taka
Pièces : 1 taka; 50, 25, 10, 5, 1 poisha

Birmanie
Kyat [K] (100 pyas)
Billets : 90, 45, 15, 10, 5, 1 kyat
Pièces : 1 kyat; 50, 25, 10, 5, 1 pyas

Thaïlande
Baht [BAHT]
(100 satang)
Billets : 500, 100, 50, 20, 10, 5 baht
Pièces : 5, 2, 1 baht; 50, 25 satang

Japon
Yen [Y] (100 sen)
Billets : 10 000, 5 000, 1 000, 500 yen
Pièces : 500, 100, 50, 10, 5, 1 yen

Singapour
Dollar [$] (100 cents)
Billets : 10 000, 1 000, 500, 100, 50, 20,
10, 5, 1 dollar
Pièces : 1 dollar; 50, 20, 10, 5, 1 cent

OCÉANIE ET AUSTRALIE

Australie
Dollar australien [$A] (100 cents)
Billets : 100, 50, 20, 10, 5, 2 dollars
Pièces : 2, 1 dollar; 50, 20, 10, 5, 2,
1 cent

Papouasie-Nouvelle Guinée
Kina (100 toea)
Billets : 20, 10, 5, 2 kina
Pièces : 10, 5, 1 kina; 50, 20, 10, 5, 2,
1 toea

Îles Fidji
Dollar [$] (100 cents)
Billets : 20, 10, 5, 2, 1 dollar
Pièces : 50, 20, 10, 5, 2, 1 cent

Nouvelle Zélande
Dollar néo-zélandais
[$NZ] (100 cents)
Billets : 100, 50, 20, 10,
5, 2, 1 dollar
Pièces : 50, 20, 10, 5, 2, 1 cent
(De nouvelles pièces de 2 et 1 dollar vont
remplacer les billets de même valeur en 1990.)

INDEX

ICONOGRAPHIE

(h = haut, b = bas, m = milieu, g = gauche, d = droite)

Aldus Archive : 22 bg, 37 hd, 51 m
Ancient Art & Architecture Collection : 6 bm
The British Library : 60 h
The British Museum : 7 hg, 17, 40 m 46 m, 60 b
Burgerbibliothek, Berne : 32 m
J. Allan Cash Photolibrary : 8 bg, 6 md, 56 mg
Dennis R. Cooper : 30 h
E.T. Archive : 34 bg, 52 m
Mary Evans Picture Library : 8 hg, 22 hm, 34 hg, 24 bg, 25 h, 25 mg, 31 d, 35 mg, 36 hm, 38 b, 39 hg, 42 hg, 42 hg, 46 b, 50, 53 m, 56 hd,
Fotosmas Index : 21 hg
Robert Harding Picture Library : 29 bm, 30 b, 38 hg
Michael Holford : 11 md, 46 hg
Hulton-Deutsch : 33 hd, 57 b
Hutchison Library : 52 hg
Mansell Collection : 13 m, 40 hg, 42 bg
National Portrait Gallery, Londres : 24 md
Peter Newark's Pictures : 28 hg, 48, 49
Pollock's Toy Museum, Londres : 56 b
Popperfoto : 29 md
Punch : 58-59 m
Le Louvre/Réunion des Musées nationaux : 34 hg
The Royal Mint : 14-15
Spectrum Colour Library : 41 g
Worthing Museum & Art Gallery : 57 md
Zefa : 12 md, 27 hd, 28 bg, 42 md, 59 bm.

ILLUSTRATIONS

Thomas Keenes : 10 m, 20 m, 54 h et b, 55 h et b
Kathleen McDougall : 12 h, 32 h
Recherche iconographique : Kathy Lockley

NOTES

L'auteur et Dorling Kindersley tiennent à remercier : Thomas Keenes pour son aide artistique; Peter Hayman (pp. 56-57), Karl Shone (pp. 26-27). Kate Warren (pp. 8-9) pour leurs photographies; l'équipe du British Museum, en particulier Virginia Hewitt, Sue Crundell, Janet Larkin et Keith Owes du département des Pièces et Médailles et Steve Dodd du service photographique; le Museum of Mankind; le Royal Mint; la National Westminster Bank; Pollock's Toy Museum; Thomas de la rue & Co; la National Philatelic Society; la Hungarian National Bank; Georges Smith & Sons; Sothebys of London; Dr. Fergus Duncan; Coin Craft; Kiwi Fruits, London; Barclays Bank Ltd; Robert Tye; Steve Cribb; Anna and Katie Martin; et Jane Parker pour l'index.

Les objets figurant sur les pages 6-7, 8-9, 12-13, 14-15, 26-27, 56-57, 58-59 et 60-61 sont représentés à taille réduite.

Tous les billets actuels sont reproduits en réduction, ou en noir et blanc, selon les lois des pays respectifs. Les autorités canadiennes n'autorisent pas la reproduction de billets actuels.